情不知所起，一往而深。
尋著心之所向，乘著拂曉清風，
流往那剎那即永恆之境。

情不知所起，一往而深。
尋著心之所向，乘著拂曉清風，
流往那剎那即永恆之境。

海洋之戀 下

Love Sea

Thank you for supporting me
and my dreams na ka ♡

Mame

Contents

Episode 18

誰大聲說出了
「嫉妒」？

「你怎麼會在這裡？」

「哦，我搭飛機來的，難道你以為我是走路來的？」

「Mut！」

「唉唷，對不起啦，是我的錯。」

Khom 從小就認識 Mahasamut，怎麼可能不知道他現在所做的一切只是在轉移話題？當他凝視著眼前這個面帶笑意的朋友時，對方別開了視線。

「自從有了男朋友，你就變得很可怕，你知道嗎？」

「不要試圖改變話題。」

「你又知道了？」

「……」

Khom 知道自己不擅長和這個朋友起爭執，因為他生性狡詐，還能在各式各樣的環境生存下來，但在和 Connor 生活一段時間後，自己也不是沒有進步的。

「那我去問 Rak。」

Mahasamut 用力抓住了好友的手，這個動作令 Khom 忍不住多看他了一眼，再轉頭看向另一個和他男友坐在一起的人。

「我也想知道為什麼 Rak 會變成這樣。」

他指的是十分鐘前發生的事。

Khom 和 Connor 提早回到了泰國，決定要帶紀念品來找 Tongrak，雖然對方說沒有必要，但自從認識他以來，Khom 已經很清楚他男友的朋友很孤獨，即使 Connor 嘴上

說不用管了，他也知道男友其實很關心對方。

於是兩人來到了這裡，卻親眼目睹 Mahasamut 前來開門，從他的狀態看來，不難想像他們剛才發生了什麼事。

這還不是全部的事發經過。當他們面露驚訝地站在門口時，房子主人走了出來，由他身上的樣子，也能猜到兩人到了什麼階段。

「誰來了？」

Tongrak 身上的衣服發皺，頭髮亂七八糟，雙頰泛紅、眼睛迷濛，整個人和 Mahasamut 差不了多少。

Connor 只是笑著說：「我們回去吧。」

然而他的話立刻被 Khom 拒絕。他必須弄清楚好友怎麼會來到曼谷，為什麼會在 Rak 的房裡，為什麼他們兩人之間好像有什麼特殊關係。

雖然 Khom 表明了自己的擔心，但被擔心的那個人只是面帶笑容，像是什麼事都沒有發生過。

「沒什麼。」

「Mut，我很擔心你。」

Khom 直截了當地開口，坐下來看著朋友，對方剛才臉上的笑容已經消失。

他知道 Mahasamut 從小就擅長生存，也不像自己那麼軟弱，但這不意味他不能擔心對方。

Khom 知道 Connor 僱了他的好友來照顧 Rak，也沒天真到認為他們之間會就此打住。

Tongrak 喜歡和別人一夜情，Mahasamut 也樂意和客人春風一度，更何況兩人的外表又很出色，不難想像他們怎麼有了更進一步的關係。

儘管 Mahasamut 問過關於 Tongrak 的事，但 Khom 並不認為他的朋友會因此就來到曼谷。

現在看來，他們兩人不只是速食來往，也不僅是老闆與員工，已有超越了這層的特殊牽扯。

所以他很擔心。因為自己以前也遇過同樣的情形。

Mahasamut 接收到 Khom 的質問眼神後，舉起雙手做出投降的樣子。

「你是唯一一個讓我願意如此屈服的朋友。」Khom 自從到島上後就經常被欺負和嘲笑，Mahasamut 便肩負起保護弟弟的角色。

如果換成 Palm 的話，他早就回手叫弟弟少管了。

「也就是說……」Khom 瞇細了雙眼看向 Mahasamut。

男人嘆了口氣，「好吧，就如同你所想的那樣，你朋友被賣了。」

「你瘋了嗎？你明知道……」Khom 的話講到一半便打住，看到坐在一旁的好友兩人組正緊盯著他們看，於是他靠近了 Mahasamut，降低了音量。

Khom 知道 Connor 仍然對曾經付錢並待自己像僕人一樣的過去而愧疚，儘管他正試圖修復往事，但只要提起這個話題，Connor 就會像做錯事的小孩般道歉。Khom 不想

再去計較過去發生的事，也不想再舊事重提，但不代表他就此完全原諒了對方的行徑。

現在他很生氣，因為 Mahasamut 正在犯同樣的錯誤。

「你明知道我以前經歷過什麼，也知道以前的我有多痛苦。」當時他傷得很重，也哭得很兇，為什麼他的朋友要步上自己的後塵？

並不是他不相信 Tongrak 會像 Connor 那樣改變心意，但又有誰能確保這種關係會在沒人受傷的情況下結束？

「你是不是太低估你朋友了？」Mahasamut 自信滿滿地開口，「也許我有可能成功。」

Khom 聞言一愣。一直以來他只看到朋友努力生活的樣子，Mahasamut 可以和任何人發生關係，卻從來不曾對愛情感興趣，就算跟人交往也不會長久。是什麼原因讓他這樣的人改變了主意？

正當 Khom 準備轉身時，便被一隻大掌抓住他的臉轉了回來，兩人四目相接。

「你為什麼要逃避？你知道我想說什麼。」

「難道你想說⋯⋯」

「我說過我會讓 Tongrak 愛上我的，所以先不要驚動他。」Mahasamut 低聲說，這次他看起來不像在開玩笑，口氣十分嚴肅。

Khom 眉頭輕皺，就為了這句話，有必要掐住他的臉嗎？

兩人的竊竊私語惹得坐在一邊的兩人極度不悅。

Connor 不開心是可以理解，但為什麼 Tongrak 也感到不開心？即便他很清楚那兩人只是朋友。

這股由內心升起的不快是怎麼回事？

Tongrak 一邊暗忖，一邊瞇細雙眼盯著他們。

他們兩人的聊天看起來比朋友還要親密，而且完全不理會周遭人的目光。

「你是認真的嗎？」Khom 將臉湊近了他，難以置信地問。這個只關心錢的好友說出了這樣的話，就表示他在意的不是對方的錢，而是在追求其他東西。

「要是我不認真的話，又怎麼會跟他來到曼谷？」

「因為你喜歡錢。」

Khom 不在意朋友投來的不認同表情，接著說：

「而且你不會離開大海。」

他這個朋友不僅名叫 Mahasamut，也同樣熱愛家鄉的海洋。那個曾經向自己表示家鄉最好的男人，此時此刻真的會放棄畢生的理想嗎？Mahasamut 向來對家鄉的事慎重以待，Khom 很了解他，但還是想從他口中聽到答案。

「如果你真的打算拋下大海來到這裡，那就表示……」

他有信心讓 Tongrak 對他有更多感情？

Khom 緊盯著好友想要個答案，Mahasamut 嘆了口氣。

「是的，我的想法很堅定。你不用擔心我。」

「我怎麼可能不擔心你？」他清楚知道 Rak 的個性，所

以才這麼擔心。

「你離他太近了，親愛的。」

還沒等 Khom 與他的朋友分享自己所知道的事，便有人走了過來托起 Khom 的下巴，強迫他直視自己。

Connor 碧綠色的雙眼吐露駭人的寒意。

雖然 Connor 平常性格開朗，總是精神抖擻，但此刻他眼底的寒意明示了他現在的心情有多差。Khom 不解地看向他，不知道自己為什麼招惹他生氣。

Connor 想讓他發現自己正在嫉妒，但又擔心 Khom 會生氣，只是如果不這麼做，男友就不會意識到他和那傢伙 Mahasamut 的距離已經近到快要親上去的程度了。

「太近了，Khom。」

「什麼太近了？」Khom 疑惑地問。

Connor 真想把男友拖回家打他的屁股當作懲罰，但他做不到。

「我嫉妒。」

Connor 擔心只靠言語無法讓對方明白，於是低下頭吻了他的唇，讓他知道別讓自己的男友嫉妒。

他原本預期會看到一張羞紅的臉頰，然而事與願違。

「你瘋了嗎？」向來隨和的 Khom 不高興地開口。

光這句話還不夠，他還用力地推開了 Connor，轉身和他的朋友繼續交談。Khom 不懂 Connor 有什麼好嫉妒的，Connor 明知道自己和 Mahasamut 只是朋友，再說自己認識

Mahasamut 的日子遠比 Connor 來得久，好友現在這個情況讓他沒心情去安撫莫名其妙在生悶氣的外國人。

「你這麼說真是傷我的心。」

「Connor，」在那個高姚男人準備表演誇張的受傷表情時，Khom 轉過身喊了他的名字，語氣平靜，「我需要和我朋友談一談。」

兩人對上了視線，黑色的眼神堅定，至於綠色的雙眼⋯⋯只能妥協。

「我知道了，親愛的。」

他選擇成為一隻乖貓。

要是以往的 Connor 絕對不會妥協，他會強硬把小男友拉到一邊去，但現在的他只能坐回好友身邊，閉上嘴巴裝作看不見。

正如 Khom 所說的，他好友的情況更讓人擔心。

正常情況下 Tongrak 會像看戲一般置身事外，但此時他蜜色的雙眼只是盯著對話的兩人沒有吭聲。

Tongrak 不明白，為什麼自己現在會有股想拉開那兩人的衝動。

Tongrak 和 Khom 認識好幾個月了，他一直很喜歡這個可愛的男孩。但為什麼他會如此不開心那個男孩和「他的男人」如此靠近？

這實在是太荒謬了，那兩個人只是朋友！

「你要去哪裡？」

Connor 看著突然起身的 Tongrak 忍不住問。

「不關你的事。」他看了好友一眼，便走進了房間。

Connor 聽懂了他的意思，只是不解為什麼朋友會突然這麼不高興。

「如果有什麼事就打電話給我。」

「嗯。」

「要是有任何問題，一定要告訴我。」

「好好。」

Mahasamut 笑笑地看著他的好朋友，對方仍然一臉憂心。他很想提醒對方應該更注意自己的男朋友，先前用餐時，外國人為了吸引 Khom 的注意還故意發出巨大聲響。然而 Mahasamut 相信他們兩人之間的愛情韌度，也不打算插手，畢竟當初是自己介紹他倆認識的。

「如果你需要任何幫助……」

「放心，短時間內我不會被拋棄的。」

「……」

看到 Khom 仍十分煩惱的樣子，Mahasamut 打斷了他的話。他知道朋友擔心自己會被拋棄而無處可歸。

Khom 漆黑的眼珠仍寫著不確定。

「別擔心我，Khom，你知道我能照顧好自己的。」

Mahasamut 揉了揉他的頭，接著很快就縮回自己的手。

因為 Khom 的男人此時的眼神像是要殺死自己那般。

「走吧，親愛的。」

就在 Khom 還有些猶豫時，Connor 已勾住他的肩膀幽幽地開口，儘管他內心早就大叫著想要早點離開。

Khom 抬起頭對上了他的視線，停了一會接著點點頭。

「好吧，我們回家吧。」

Connor 在 Khom 的臉頰落下一吻，絲毫不在意一旁還有別人。

「Connor 先生。」

就在那兩人準備離開之前，Mahasamut 開口喚住了他。

「你不打算對我說些什麼嗎？」

Connor 只僱用他在南方島嶼照顧 Tongrak，現在他卻來到了曼谷。

Mahasamut 並不傻，雖然他可能不像 Khom 那麼了解 Connor，但在用餐期間，他一直接收到來自 Connor 的審視眼光，他正在觀察自己和 Tongrak。

「呵呵。」外國人回以一個難以理解的笑容，接著說：「你的問題有點難以理解。」

那個泰語流利的外國人此時突然裝作跟泰語不熟，對著懷裡人露出一抹笑意，自顧自地開口：

「我們走吧，我很想抱你。」

Mahasamut 無視了好友的臉紅，只看著 Connor，似乎

在等著答案。

「你能來這裡太好了，這樣就有人幫我擁抱 Rak。」

Mahasamut 先是明顯一愣，接著大喊：「你這是什麼意思？」

他以前從來沒想過這個問題，但腦中突然浮現 Connor 抱著 Tongrak 的畫面，儘管他知道 Tongrak 和不少人發生過關係，但其他人都有可能成為過客，而 Connor 不會。

因為他是 Tongrak 最好的朋友。

他差點脫口質疑 Connor 都已經有了 Khom 為什麼還要招惹 Tongrak……但最終還是全數嚥了下去。

Mahasamut 不確定自己的不滿是出自對朋友的關心還是對 Tongrak 的占有欲。

難道在不知不覺中，自己對 Tongrak 的占有欲已經超乎想像？

Connor 笑得很燦爛，碧眼閃著喜悅光芒，他終於不需要在 Tongrak 感到孤獨時當個抱枕了，擁抱自己的男友還比較溫暖。

而 Khom 在此時停下了腳步，轉身看著 Mahasamut。

「Mut，別忘了我告訴過你的話。」Khom 提醒朋友，接著便被 Connor 拉向電梯，但仍然回頭看了一眼站在門前的男人。

他已經告訴過 Mahasamut，Rak 並不在乎愛情。

該說的他都說了，剩下的就看好友想怎麼做。

　　Mahasamut 站在門前良久，想花點時間整理自己的感受，然後再回到那個關係超越雇主的人身邊。

　　儘管 Mahasamut 一直表現得很自信，但他仍然是個平凡人，也有脆弱的一面。他來到曼谷想要的是改變兩人的關係，希望讓 Tongrak 不再因為孤獨而追求別人的擁抱。

　　但 Mahasamut 現在陷入了自我懷疑。

　　他不確定 Tongrak 和 Connor 之前是不是有別的關係，但現在他們確實是朋友。只是若連 Connor 這種已經擁有一切的男人都無法擄獲 Tongrak 的心，一貧如洗的自己又有什麼能耐？

　　雖然他更年輕，但他更窮，而且一無所有。

　　Mahasamut 從來不曾看不起自己，並不意謂他的內心強大到不與他人做比較。

　　「唉。」男人嘆了口氣。

　　也許他的計畫依然太過天真，但如果能讓時間倒流，Mahasamut 還是會毫不猶豫抓住 Tongrak 提供的機會⋯⋯讓他們更進一步發展的可能。

　　「你要在外面站多久？」

　　這個時候門被打了開來，Tongrak 看起來有些生氣，讓緊張的 Mahasamut 轉過身閉上眼，調整自己的情緒。

「我在等你來接我。」他回過頭對他一笑,像是什麼事都沒發生過。

「……」

「……」

兩人陷入了沉默,Tongrak 率先走回屋內,留下一臉困惑的 Mahasamut,高大的身影連忙跟了上去,關上了門,朝坐在沙發上的人兒走了過去。

Mahasamut 坐在沙發的另一邊,室內一片寧靜,只剩冷氣運轉的聲音。

「我……」

「我……」

兩人有默契地同時開口,也同時沉默。

「你先說。」

「不,你先說。」

「我讓你先說。」

「但我希望 Tongrak 先生先說。」

「哼!」

「嗯?」

Tongrak 看著 Mahasamut 的眼神充滿怒意。

男人注意到對方的怒氣時面露驚訝,打從吃飯時就是這樣,明明在那之前他的情緒看起來還很好,Mahasamut 甚至暗自希望兩人能繼續剛才被打斷的事。

看來他似乎判斷錯誤了。他不懂對方此時是在生氣什

麼？

　　他不確定 Tongrak 是真的在生氣還是佯裝生氣，通常他可以輕易掌握到 Tongrak 的心思，但今天似乎不管用。

　　「你和 Khom 關係很好，是嗎？」

　　Tongrak 似乎認為這件事很可笑，彷彿他對此很不滿。

　　「你和 Connor 先生也很親密，不是嗎？」

　　Tongrak 瞪了男人一眼，搞不懂對方為什麼要這麼說，就像他不知道自己為什麼要心煩意亂。

　　「這有什麼關係？是我先問你的。」

　　「有關係，因為我也想知道。」

　　「你現在就回答我。」

　　「你也要回答我的問題。」

　　「我先問了。」

　　「如果我回答的話，你會告訴我為什麼和 Connor 先生擁抱嗎？」

　　「啊？你在說什麼？」

　　「對啊，我也想知道。」

　　怒火中燒的 Tongrak 看向坐在另一邊的男人，對方看著自己的表情也有怒意，他不知道為什麼 Mahasamut 要生自己的氣，他才是那個應該生氣的人吧？他們剛才講話時根本不把自己放在眼裡。

　　該死的，為什麼他會有這麼煩悶的感覺！

　　Tongrak 猛一個起身，丟下一句話：

「我要回房間！」

「我也要回房！」

Mahasamut 站起身，Tongrak 憤怒地開口：

「別想踏進我房間！」

「哦，對不起，我本來就打算回自己的房間。」

Mahasamut 的話讓 Tongrak 更加生氣。

「你這個混帳！」

男人看著被用力關上的門，默默地走回自己的房間，原本還吵吵鬧鬧的客廳瞬間安靜了下來。

回到房間的 Mahasamut 煩躁地耙了耙頭髮，往後躺倒在地上，表情滿是懊悔。

「該死的，我好幼稚！」

他就像個幼稚的小孩一樣嫉妒。

但他什麼也做不了，只能任由嫉妒淹沒理智，還和 Tognrak 起了爭執。

如果有人問 Connor 對這兩人的看法是什麼，或許他會回答……兩人的占有欲都很強，但都不會輕易說出口。

「Meena、Meena，我們去吃冰淇淋吧。」

「走吧走吧，我想要吃薄荷的。」

在一所私立名校裡，一名綁著辮子的女孩跑到另一個

女孩身邊，看著她正收拾自己的書包。

名喚 Meena 的女孩很快就答應了對方的邀約。

「又是牙膏口味的冰淇淋嗎？」她的朋友忍不住批評。

「很好吃啊，比起 Inging 的彩虹冰好吃。」

「別批評我的彩虹冰淇淋。」Inging 嘟起嘴反駁，笑笑地摟住 Meena 的手臂，「走吧，不然等我爸來，就沒機會去了。」

「好啦好啦。」Meena 任由自己被對方帶出教室。

兩個女孩走到了學校的柵欄邊，Meena 和舅舅一模一樣的蜜色雙眼突然露出遲疑。她抓住了朋友的手臂，將她拉到大樓後方。

「怎麼了 Meena？我爸等下就要來了。」

「噓……」她只是舉起手指做出噤聲動作，盯著站在學校前的一個人。

「那是誰？」

Meena 沒有回答。十三歲的她高速思考著接下來該怎麼做，因為她知道那個站在學校前的中年男子是誰。即使自己只見過對方幾次，她的外婆也將他的照片全都燒掉了，但她仍然記得對方的身分。

「他是我外公。」Meena 拍了一張照片後，「Ing 能打電話給妳爸爸，讓他到學校後面接我們嗎？然後我們可以去購物中心吃冰淇淋，再請他也送我回家嗎？」

「當然可以，但妳媽媽呢？」

「我會打電話告訴她和妳一起回家了。」Meena 冷靜地開口，大眼眨了眨。

「那我打給爸爸。」Ing 點點頭。

「那我們快走吧，不要浪費時間了。」Meena 拉著朋友往學校後方走去。雖然她不能理解那個男人的舉動，但她只是個孩子，不需要了解太多。

她不能成為任何人的負擔。

現在的 Meena 不太想回家，此時的她心中浮現了她的 Rak 舅舅。

她很想念他。

Episode 19

「和解」
必須大聲說

　　Mahasamut 剛檢查完手機裡的工作，還在心裡咒罵 Palm 沒寄出他的私人物品時，從昨天晚上就一直緊閉的房門被打開，房間主人只穿著單薄的睡衣和小四角褲就走了出來，凌亂的頭髮看得出他才剛醒。

　　男人看了一眼手錶，現在是下午三點，Tongrak 今天起得比平時要晚。

　　Mahasamut 起身走向了廚房。

　　「走開。」他不小心擋住了另一個心情不好的男人去路，後者也正往廚房走過來。

　　銳利的眼神望向陰沉的雙眼，Mahasamut 不知道該怪自己的本性或者該怪對方太性感，視線老是不由自主地瞄向對方的鎖骨，還有若隱若現的惹眼胸膛。

　　男人大掌抓住了 Tongrak 的睡衣，將之調整好。

　　「你的睡衣皺了。」

　　「別管我。」Tongrak 語氣不悅，「走開，我要煮咖啡。」

　　「我來幫你吧。」

　　「我可以自己來。」

　　「你可以坐著等。」

　　Tongrak 眉頭皺得死緊，一心一意想擠進 Mahasamut 和廚房的間隙、走向咖啡機，男人突然抓住了他的腰，像扛肥料一樣將他扛到肩上。

　　「你要幹嘛？！」

Tongrak 嚇了一跳大喊。

男人沒有回答，只是將他扔向沙發，抓起一顆枕頭塞給了他，用平穩的語氣開口：

「你在這裡等著，我會幫你煮。」

Mahasamut 看著對方妥協地抱著枕頭坐直了不動，眼神仍有掩不去的怒氣。他今天沒有心情捉弄 Tongrak。

他做了一個惡夢。夢見 Connor 抱著 Tongrak，讓他忍不住打電話給 Khom，催促對方趕緊過來帶走男友。因為做了煩躁的夢，所以 Mahasamut 無法迅速調整好心情，偏偏這個時候有人對他發了脾氣。

Tongrak 與 Connor 同床共枕時也是穿成這個樣子嗎？

Mahasamut 可沒忘記當初在島上，自己去叫他起床時對方的穿著。他知道作家平常只會穿著睡衣的上半截睡覺，明知道自己每天都會去喊他起床也沒改，看來這是他一向的習慣。

「唉。」Mahasamut 忍不住嘆了口氣。

男人折回廚房，沒注意到坐在沙發的那個人此時緊緊抓著枕頭，表情焦躁。

難道他已經厭倦自己了嗎？

難道他不知道自己得鼓起多大勇氣才敢離開房間嗎？

Tongrak 知道自己昨天晚上的表現很可笑，也不懂為什麼心情會如此煩悶，Mahasamut 和 Khom 親暱的舉動嚴重影響了他的情緒，昨天晚上的爭吵現在想起來也很荒謬，

導致了 Tongrak 一整夜都在胡思亂想，睡不好覺。

離開房間之前，Tongrak 刻意對著鏡子整理了很長一段時間，弄亂頭髮故意讓自己看起來像剛睡醒，並解開了睡衣上的釦子，期待自己走出房間就能看到 Mahasamut 閃閃發亮的眼神。然而事與願違，對方只是將他的釦子扣好，僅此而已。

Mahasamut 為什麼要生他的氣？他不喜歡對方表現得如此冷漠。

他有做錯什麼嗎？難道他昨天做得太過分了？

原本堅信自己沒有做錯事的人，看了一眼站在廚房裡煮咖啡的男人。

Tongrak 以前從來沒想過要向任何對象道歉，今天卻莫名有了道歉的衝動，要是被 Vi 知道的話，她一定會很震驚。

他將雙腿放在沙發上，又抱緊了枕頭，雖然自己接觸過不少男人，也寫過不少類似的情節，但此時此刻的他卻怎麼也道不了歉。

「Tongrak 先生。」

陷入思緒中的 Tongrak 沒注意到 Mahasamut 已走了過來、將咖啡放在他面前，當他的大手輕觸自己的肩膀時，Tongrak 明顯一僵。

「抱歉碰了你，我想你應該心情很不好。」

Mahasamut 此時坐到沙發另一端，就像昨天晚上那樣。

Tongrak 很想反駁自己並沒有不開心，但張開了口卻吐不出半個字。

「我昨天晚上的態度不好，你會生氣也很正常。」

他自己昨天的態度也很糟……Tongrak 抱緊枕頭，在內心暗暗地說。

「我不應該那麼做的，畢竟有哪個人會喜歡買來的人大聲嚷嚷？而且你還付了我很多錢。」Mahasamut 笑笑地說。

「……」

Tongrak 不喜歡 Mahasamut 這種笑容，不像平常的捉弄或者開心的大笑，而是勉強自己笑出來的。他緊抿雙唇，腦海中浮現了一個念頭。

儘管他是付錢的人，也不喜歡對方有著這樣的想法，Mahasamut 表現得就像是自己應該要遵從付錢的他的所有命令。

但 Tongrak 之所以會喜歡 Mahasamut，就是因為他是那個隨心所欲、暢所欲言的 Mahasamut，而不是像現在這樣唯唯諾諾的樣子。

他似乎沒有意識到自己已經開始希望兩人之間的關係不是建立在金錢上。

「喝咖啡吧。」Mahasamut 將咖啡杯滑到 Tongrak 面前，「如果我在這裡讓你心煩意亂的話，那就不讓你看到我的臉了。」

聞言，Tongrak 不自覺地伸手抓住了對方的襯衫，蜜色

雙眼裡有著恐慌，連說話都有點發顫。

「你要去哪裡？」

光是想到 Mahasamut 要離開，他就莫名感到心慌。

Tongrak 把 Mahasamut 的襯衫抓得更緊，腦袋裡光速思考著要怎麼把他留在這裡。他已經沒有心情去細分這到底是因為孤獨，或者單純只是需要一個人的擁抱？

他感到害怕。

他眼裡的恐懼是如此清晰，讓 Mahasamut 也意識到了這點。

他本來只是想走回自己房間，讓 Tongrak 安靜享用咖啡而已，沒想到對方居然會是這個反應。

Mahasamut 將大手放在他的手上，慢慢地觀察對方的表情，他看到 Tongrak 眼眶逐漸變紅，聲音也越來越顫抖。

「你要離開我嗎？」

昨天的不愉快瞬間煙消雲散，Mahasamut 現在只想用力擁抱面前的人。

「我……」

鈴——

手機鈴響打斷了 Mahasamut，Tongrak 轉過身鬆開了自己的手，「你接吧。」

Mahasamut 再次握住了他的手，同時接起了電話。

「是……是的……好。」

他一邊和宅配人員對話一邊握著 Tongrak 的手，而後

者也靜靜坐在原處。男人感覺自己的心跳越來越快，思緒也越加清晰，就算以前他和 Connor 有超乎朋友的情愫那又如何，現在握住 Tongrak 手的人是他，他是對方現在想抓緊的人。

他有機會嗎？

Mahasamut 結束通話後，用柔和的聲調開口說：

「我先下去拿東西，大概是 Palm 幫我寄東西來了。」

「好吧。」Tongrak 點點頭，試圖抽回自己的手，但 Mahasamut 卻不鬆手。

「等我回來的時候……」

「什麼？你有話就直說吧。」Tongrak 不解地看向他。

「我可以彌補你嗎？」

男人臉上綻開燦爛的笑容，緊了緊 Tongrak 的手接著鬆開，聽到對方的回應時，笑容越擴越大。

「嗯。」

Mahasamut 下樓去收包裹，而 Tongrak 則獨自坐在沙發上，不，應該說他躺在沙發上，雙腿在空中回來踢著。他感覺臉頰發燙，害羞地用枕頭擋住了臉。

他對於 Mahasamut 在下樓前說的話而感到振奮。

「我可以彌補你嗎？」

　　這位作家在作品裡寫過無數次這句話，卻因為現實裡有人對自己說這句話而害羞不已。他不是沒聽過甜言蜜語，但出自 Mahasamut 的嘴裡，讓他感到心裡……發癢。

　　「Rak 你瘋了嗎？」

　　房間裡的電話此時響了起來，原本 Tongrak 只想等 Mahasamut 回來不想接聽，但對方似乎不打算就此停下來。

　　「是誰想被我罵嗎？」Tongrak 一邊走回房間一邊抱怨著，在看到螢幕上的名字時明顯一愣，迅速接了起來，「Hello？」

　　電話那頭的人只說了幾句話就讓 Tongrak 臉色大變。他轉身抓起褲子迅速穿上，大步地走出了公寓。

　　當 Mahasamut 拿著一個大包裹準備走回公寓時，注意到 Tongrak 從他身邊疾步經過，快到甚至沒注意到自己。他緊跟上去，對於 Tongrak 臉上焦急表情感到好奇，因為像作家這種不怎麼在意周遭的人幾乎不太可能露出這樣的表情。

　　只見 Tongrak 快步走向大廳，抱住了一個可愛的女孩。

　　「除了要跟男人吃醋之外，現在還多了女孩子嗎？」

　　那個女孩子看起來像中學生……等等，中學生？

「謝謝。」

Meena 看了一眼面前的柳橙汁，用著好奇的眼神看向那個把柳橙汁拿過來的高大男人，接著又看了一眼故作優雅正在喝咖啡的舅舅。

「Rak 舅舅，那是你喜歡的類型嗎？」

「咳咳咳咳……」

儘管她引以為傲的帥氣舅舅此時被咖啡嗆到臉都紅了，但 Meena 仍好奇地看向那個自稱「Mahasamut」的男人。

身材很高䠷、肌肉看起來不錯、黝黑的皮膚可以接受……臉蛋也很帥氣。

偷看過舅舅每本小說的女孩在觀察了 Mahasamut 的外表後，腦中浮現最近舅舅寫的兩本關於黑幫小說的主角，再搭配上她的舅舅，兩個人看起來就像是故事裡走出來的一對。

「我可以問你一件事嗎？」

「不行。」

「哦，Rak 舅舅，我是你最心愛的外甥女，你不能這麼殘忍地拒絕我。」十三歲的女孩化為三歲的孩子，忍不住撒嬌似地開口。

「不行，妳這個早熟的孩子。」Tongrak 也再度重申了

立場。

「我可能是早熟，但 Rak 舅舅你應該知道，不能把十三歲的我和十三歲的你混為一談啊！現在的小孩很早熟，十三歲就用手機了。」

Meena 嘆了口氣，舅舅的反應跟媽媽差不多，她媽媽也覺得自己太早熟。

「我會告訴妳媽媽，讓她限制妳玩手機的時間。」

「那 Meena 可以改看 Rak 舅舅寫的小說嗎？」Meena 露出一抹甜笑，湊近了 Tongrak，「所以，這個人是你的男朋友嗎？」

Tongrak 毫不遲疑地用力彈了她額頭一記。

「哦，好痛！」她摀住自己的額頭，忍不住嘟嘴抱怨，「好過分。」

Tongrak 看了外甥女一眼，淡淡地開口：「妳是不想要零用錢了嗎？」

「我要！」Meena 高舉雙手，為了零用錢她可以暫時忘記另一個男人的事。

「那妳來找我什麼事？」

剛才她打電話通知 Tongrak 自己在公寓樓下，而 Tongrak 也很清楚如果 Meena 沒有和母親一起來，就表示她有什麼事情不想讓母親知道。

「沒關係，妳就說吧。」

注意到 Meena 看了一眼 Mahasamut，Tongrak 知道她內

心的疑慮。

看來那個人是可以信任的……Meena 雖然對 Tongrak 的反應有些訝異，但還是開口坦白：

「我在學校門口看到了外公。」

「什麼？！」

女孩的話才一落下，Tongrak 臉色瞬間發白，即使並不想看到舅舅這樣的表情，但她唯一能依靠的人只剩他。

「嗯，但外公沒有看到我，我一看到他就立刻往學校後面跑了。你看，我還拍了照片。」Meena 拿出手機點開了照片，遞給了 Tongrak。

她不喜歡舅舅臉上的表情，讓她好難過。

對她來說外公是個遙遠的存在，如同在讀一本年代小說，由文字敘述出好人與壞人。她沒親眼見過外公的暴行，所以不感到害怕，但沒有理由不聽大人的話。

媽媽和舅舅辛苦將她扶養長大，Rak 舅舅告訴過她如果有什麼事就要說出來，因此她毫不猶豫地聽話。

相較之下，舅舅的心志比自己的母親堅強許多。

「Rak 舅舅沒事吧？」

「我……沒事。」

雖然他口中說沒事，但看起來一點都不像沒事的樣子。

「舅舅你不用擔心我，我一看到他就會跑，而且我長得很快，他不會那麼容易就認出我的，明天我就去剪個劉海遮住自己的臉。」

「這不是在開玩笑，Meena！」Tongrak 的緊張語氣讓女孩閉上了嘴巴。

她感覺有些沮喪，不喜歡被責罵。

「對不起。」

然而 Tongrak 總是會心軟。

「嗯，Meena 不會生舅舅的氣，那 Rak 舅舅也不能生 Meena 的氣喔。」

「妳把這件事告訴媽媽了嗎？」

「我不能告訴她，這樣她會有壓力。」而且壓力會比舅舅來得大，Meena 在內心暗忖。

「嗯，很乖，好孩子。」Tongrak 揉了揉外甥女的頭。

他知道威脅已經來到面前，換取和平的唯一辦法，就只有錢。

一直以來都是這麼應付的。

「這件事我來處理。」

「舅舅要怎麼做？」

Tongrak 不想告訴外甥女實際情況，Meena 是個好孩子，她知道自己的母親對外公的事很反感，而他不想讓外甥女牽連其中太多。

「這一週我都去學校接妳。」

「不。」Meena 打斷了他的話，「你害怕外公。」

「……」

如果 Tongrak 處理不好就有可能得直接面對外公，她

不想讓事情演變到這個地步。

「Meena 不想讓你見外公。」

Tongrak 看著外甥女的眼神充滿關心和疼愛，但他也無法否認自己確實害怕那個男人。

「我已經想好了，這星期都和 Inging 一起回家，反正她爸爸每天都會來接她。」

「妳媽媽不會同意的，妳要怎麼跟她解釋？」

Meena 臉上的笑容立刻消失，她媽媽肯定不會同意，光是請 Inging 的爸爸送她回去就已經讓媽媽不停打電話去向對方致謝了，幸好媽媽不會對她來探望 Rak 舅舅感到奇怪，但這個理由不能常常使用。

「那就讓 Mook 來接 Meena 吧。」女孩彈了個手指說。

「Mook 太弱了，如果真的出了什麼事，她也幫不上忙。」

Meena 知道舅舅雖然嘴上是這麼說，但他其實也擔心 Mook，只是若這句話被她聽到，Mook 應該會很失落。

「而且現在 Vi 借走了 Mook。」

「是嗎？」Meena 眼睛發亮，她知道關於 Mook 的祕密呢。Mook 喜歡 Vi，Vi 喜歡捉弄 Mook，也許她們兩人有點希望。

只是眼前 Tongrak 因為壓力而緊繃的神情讓女孩不敢再追問下去，外公堵在學校門口對他來說是莫大的威脅。

但現在還能怎麼辦呢？如果她說能自己照顧好自己，

肯定會被斥責。

她討厭自己現在還是個小孩子。

女孩低頭在內心暗自發誓，等她長大後要照顧家裡的每個人，不能讓媽媽再哭，也不能讓舅舅露出悲傷的表情，更不能讓外婆辛苦。

「還是我去接？」

就在這個時候，低沉的嗓音從廚房傳了過來，讓客廳裡的兩人回過頭。

一直不吭聲的 Mahasamut 突然開口提議：「如果你跟 Khwan 小姐說要使用我的服務，我想她應該不會有意見，而且我比 Mook 更能保護你的外甥女。」

他不喜歡 Tongrak 臉上的蒼白，不想看到他那緊張的神情。

Mahasamut 看得出來 Meena 試圖想讓大人放心的行為舉止，也看得出來她有多固執。

「如果你擔心的話，可以追蹤我的手機，這樣就可以知道我的位置，也能知道我是否真的去接了你的外甥女。」Mahasamut 接著補充。

「但是……這太浪費你的時間了。」

「對我來說，只要是關於你的事就沒有浪費的說法。你知道我的時間很多。」

Tongrak 緊咬雙唇，仍然有些猶豫不決，男人來到他身邊，大手放在他肩上，力道之大像是想要將自己的力量

傳遞給他。

「你可以相信我。」

男人深邃的雙眼直視 Tongrak 的雙眸，後者慢慢伸出手，準備覆在 Mahasamut 的手上。

「嗯咳咳！」

Meena 的輕咳讓 Tongrak 連忙收回了手，兩人有志一同地看向女孩。

「如果你想來接 Meena 的話，必須先通過測試。」她挑戰地看向 Mahasamut。

「好的，Meena……」

就在此時，Mahasamut 有了新的認知……舅舅和外甥女都很不好惹。

但對他來說，很樂於接受挑戰。

Episode 20

用身體感謝

「我要和這位先生下去談談。」

「我也去。」

「舅舅一起來的話，我要怎麼測試啊？」

「難道要我的外甥女跟這個長得像海盜的男人獨處？」

「是的，如果舅舅也跟著來的話，我就把所有事情都告訴媽媽。」

這是甥舅兩人十分鐘前的對話。Mahasamut 認真地思考應該將注意力放在稱他為海盜的 Tongrak 身上，或是那個毫不費吹灰之力就把舅舅打倒的女孩身上？

Mahasamut 邊想邊看著那個點了冰淇淋來吃的女孩，對方讓他付了冰淇淋的錢。

「妳家禁止吃甜點嗎？」

「……」

光看女孩反應，Mahasamut 就知道自己猜對了。

看來他們應該能相處得很好。

男人雙手環胸，輕鬆愜意地看著她。

「妳打算測試我有沒有錢買冰淇淋嗎？」

「不，我只是想找到一個會同意我吃冰淇淋的人。」她話中不忘帶出提點對方能加分的要素。

Mahasamut 等著對方接下來的測試，但沒想到 Meena 再度抬起頭來時，卻丟了一記直球。

「你覺得 Rak 舅舅怎麼樣？」

「這也是妳的測試嗎？」

「你不回答也行。」女孩笑得很燦爛,「但我會跟『別人』說你看起來一點也不值得信任。」

真的是太可怕了,不愧是作家的外甥女,不但想像力豐富,而且還有演戲的天分。

「Rak 舅舅彈個指頭就會讓你消失。」

Mahasamut 忍不住輕笑出聲,Meena 跟她舅舅一樣愛威脅別人。

「Tongrak 知道我對小孩子不感興趣,妳打算怎麼跟他說?」

「嗯⋯⋯等我長大後一定會很漂亮。」

「妳怎麼知道?」

「因為我媽媽和我舅舅都很漂亮。」

「那就等妳長大再說,哦,不過就算妳長大真的變漂亮了,我也不感興趣。」Mahasamut 想快點結束這個測試,因為他更在意獨處的那個人。

「你以為我對你就感興趣嗎?你也不是我喜歡的類型。你還沒告訴我,你覺得 Rak 舅舅怎麼樣?你喜歡他嗎?你愛他嗎?他真的很好看也很有錢,還相當性感,當他穿暴露一點的衣服時,簡直迷倒眾生。」

Mahasamut 真想問問她到底是在做廣告宣傳還是在誇讚自己的舅舅?

「其實我喜歡他穿寬鬆一點的衣服。」因為那樣更容易把手伸進去。

「那又怎麼樣？還有什麼？快點說。」

可愛的女孩將臉湊近了他，試圖強迫他繼續說下去，若 Mahasamut 沒有接著往下說的話，他們可能會開始玩大眼瞪小眼的遊戲。

「妳知道我為什麼要跟 Tongrak 在一起嗎？」

「我需要知道嗎？」Meena 天真地反問。她並不知道 Tongrak 花錢買他留在曼谷，若是讓她知道了這件事，對 Mahasamut 來說應該相對不利。

「Tongrak 花了錢僱我和他在一起……妳知道這代表什麼嗎？」

但他不想隱瞞她。因為他認為 Meena 比表面看起來還要成熟，這是一個試圖以自己的方式幫助大人的孩子，告訴她真相會比讓她自己發現來得好。

Meena 的笑容消失了。她先是點點頭，接著又搖搖頭。

「為什麼……舅舅要這麼做？跟外婆一樣。」

「但我不想要他的錢。」

「那你為什麼要這麼做？如果你讓舅舅哭的話，我就……」

「我會讓他愛上我。」

被打斷的 Meena 面露詫異，然而他卻說出自己最想聽到的話。

「我會讓他愛上我的。」Mahasamut 再次堅定重申，並且面帶笑意。

TongrakMahasamut。

儘管他的名字是因為母親希望父親能回頭並再次愛她，但 Mahasamut 卻有著不同的看法。他希望 Tongrak 愛著一個人、全心全意相信那個人，而那個人就是他自己── Mahasamut。

打從他們在南方島嶼上用對方的名字互開玩笑時，TongrakMahasamut 這個詞就一直深植在男人的腦海裡。

隨著共同度過的時間越長，這樣的感覺就越來越強烈，這也是 Mahasamut 願意離開家鄉及深愛的大海來到曼谷的原因。

如果可以的話，他不想讓 Tongrak 感到孤單。

Meena 由他認真的眼神及語氣中感覺到他並不是在開玩笑。

女孩低下了頭，看著自己的腳，深吸了一口氣。

「你知道嗎？我偷讀了舅舅寫的所有小說，我朋友也讀過了。」她輕聲地開口，「我從來沒注意，直到朋友來問我，為什麼舅舅的每個角色都很孤獨、軟弱，也想要有人陪伴？雖然舅舅說過他寫的角色都是別人，那也只是個角色，但我覺得每個角色都是 Rak 舅舅，所以我希望他能像小說那樣得到幸福的結局，擁有一個能夠照顧他的人。」

一想到 Tongrak 必須努力讓自己變得堅強，Mahasamut 就一陣心痛，但此時的他無法對她做出承諾。

因為決定權在 Tongrak 身上。

「那麼，妳支持我得到那個位置好嗎？」雖然決定權在 Tongrak 身上，但他對自己還是相當有自信，「我有信心能做到。」

Meena 張大了眼睛，接著露出一抹甜笑。

「我喜歡厚臉皮的人，你通過測試了。」

「小孩子怎麼能說大人厚臉皮呢？」Mahasamut 笑看著她，只見對方將冰淇淋推到了兩人中間，並拿了一支湯匙給他。

「為我們的約定乾杯。」

他不想讓女孩失望，於是舀了一小口冰淇淋。

「好了，現在我們是同夥了，剩下都是 Meena 的了。」女孩一把抓住了冰淇淋杯子，霸氣十足地說：「那以後我就喊你 Mut 舅舅，這樣以後就不用換稱謂了。」

Mahasamut 大笑出聲。

這孩子真有趣，他喜歡。

看來那個叫 Tongrak 的男人要頭痛了。

Mahasamut 等 Meena 的母親來接她，並向 Khwan 介紹自己的身分後，準備開始接下來的計畫。儘管 Khwan 看起來仍然有些警惕，但他猜想 Tongrak 已經事先電話通知過她，因此她也沒有再多說什麼。

Mahasamut 一邊思索該怎麼辦一邊回到了房間，他想安慰那個因為父親出現而恐慌的人，但不知道自己是否真能做到。

　　昨天的爭執還沒來得及和解，再繼續冷戰下去可能使情況更糟。

　　被 Tongrak 打應該不會很痛，但他擔心對方的手會受傷。「打就打吧，沒什麼大不了的。」Mahasamut 對自己說。

　　打開門便看到念念不忘的那個人正坐在沙發上。開門的聲音吸引作家的目光，他看著 Mahasamut 走進來，坐到沙發的另一邊。

　　「……」

　　「……」

　　滿室的靜默，誰都無法猜到對方內心的想法。

　　「我已經將 Meena 交給她媽媽帶回去了……哦，沒來得及問你，但已經先和 Meena 交換了電話。」

　　「好，我會讓 Meena 把她的課表發給你。」

　　「那我明天就開始接送她了。」

　　「嗯，開我的車去吧。」

　　Mahasamut 心裡有些焦躁，他習慣 Tongrak 喜怒形於色，而不是像現在這樣一臉平靜地回答所有問題，他感覺得出對方很不對勁。

　　他伸出手輕碰白皙的臉頰，指尖溫柔地撫摸著。

　　「你還好嗎？」

　　「……不。不好。」

　　Tongrak 閉上了雙眼，看在 Mahasamut 眼裡很是心痛。

他看起來確實很不好，父親是他最大的弱點，但最讓 Mahasamut 擔心的不是那個接近外甥女的威脅，而是他沒有想過可以依賴別人。

「你可以依靠我。」

Tongrak 想都沒想過自己會聽到這句話，而這樣奇異的感覺也在內心蔓延開來。

他不需要任何虛情假意，然而聽到這句話時，突然有股衝動想將頭靠向 Mahasamut 的肩膀，希望對方能緊緊抱住他。他不想看到父親回來傷害他的家人，但不知道該怎麼做才好。

他該如何讓 Mahasamut 感覺到，自己是有多需要這個擁抱？

Mahasamut 再次不等他回應便自作主張，大手滑過他的腰際，將他拉進自己寬闊的胸懷，輕撫著他的背。

「別擔心，有我在。」

通常在這個情況下，Tongrak 會反駁：就算你在又能幫上什麼？

但現在他只是抓住了男人的襯衫。

Tongrak 感到內心趨於平靜。他覺得很溫暖，心靈也因為這個擁抱而悸動，Mahasamut 讓他很安心。

「謝謝你，Mahasamut，謝謝你。」

感謝你來到這裡並支撐著我。

Mahasamut 先是一愣，笑容又再度重回他臉上。

他想試著開玩笑來改變現在的氣氛。

「你說什麼？我沒聽清楚。」

Mahasamut 看到懷中的 Tongrak 抬起頭、眉頭輕皺，低咒了幾聲後又抬起手臂，勾住他的脖子，給了他一個熱吻。

兩人的唇瓣緊緊相連，溫熱的舌頭探入口中交纏，Mahasamut 雙手環住了他的腰，讓他對自己隨心所欲。

然而 Tongrak 還不知足，他伸手抓住了 Mahasamut 的下巴，催促他加深這個吻，耳邊聽到的是交換唾液和舌頭交纏的聲音。

當 Mahasamut 給予回應時，Tongrak 便要求更多。

他們不知道吻了多久，但沒人想結束這個吻，兩人都想繼續下去。

這是一個甜蜜又濕潤的吻。

「嗯……」

呻吟聲和喘息聲在口腔中迴盪，兩人都忍不住顫抖。

過了很長一段時間，Tongrak 稍微分開兩人的距離，雙頰嫣紅大口喘息著，灼熱的呼吸掠過 Mahasamut 的臉頰，讓對方伸出手輕撫著他。

「這是你表達感謝的方法嗎？」男人低聲探問，在 Tongrak 的雙眼裡看到自己的倒影。

Tongrak 突然起身，接著跪在地板上，拉下了 Mahasamut 褲子的拉鏈。

「你要做什麼？」男人忍不住驚呼出聲，看著抬頭看自己的 Tongrak，接著又低頭看自己褲襠。

「可以嗎？」

當 Tongrak 的臉貼近了他的分身並以臉頰摩擦時，Mahasamut 感覺自己快要發瘋了，就算 Tongrak 沒有要求，他也會欣然同意的。

皮膚黝黑的南方青年看著對方拉出自己已經腫脹的分身，以白皙的雙手輕捧著，眼神有著明顯的情慾，但仍然等待對方的同意。

Mahasamut 指尖輕滑過 Tongrak 的臉頰，用低沉的嗓音說：

「你想做什麼就做吧，我是你的人。」

Tongrak 想要 Mahasamut。

他的臉上寫滿慾望，也同時激起了 Mahasamut 的本能，男人銳利的雙眼看著 Tongrak 伸出舌頭在自己的炙熱上輕柔繞著圈，接著張嘴包覆住。

「啊！」下方柔軟的感覺讓 Mahasamut 呻吟一聲，情緒激動地繃緊了大腿。

Tongrak 似乎很享受這樣的反應，他溫暖的嘴沿著柱身輕咬和吸吮，輕舔的舌尖創造出逼人的誘惑，Mahasamut 感覺血液不斷在沸騰，脖子上都冒出了青筋。

但 Tongrak 想要更多。

他撫摸、吸吮、舔舐並感受其熱度，雖然很想張口含

住全部，但 Tongrak 卻壓抑了這個衝動，故意用舌頭在緊繃的外圍徘徊。Mahasamut 將手放在他的肩膀上，感受對方舔著頂端的小洞，品嚐上頭冒出來的愛液。

「你太壞了。」男人忍不住低吼。

Tongrak 張嘴含住了他，舌頭沿著柱身舔舐，慢慢地將那巨大的灼熱往自己的喉嚨深處推進。

他想要的不只這些。

Tongrak 加快了吸吮速度，感覺 Mahasamut 張開雙腿似乎有些緊張，耳邊聽到對方粗重的氣息，讓他興奮起來。

現在不只是 Mahasamut 情緒激動，Tongrak 也不例外，雙腿不經意地靠緊，藉由摩擦來緩解內心強烈的渴望，他也不想就此停下來。

柱身與舌頭碰撞的水聲從嘴邊逸出，只是 Tongrak 仍然不滿足。

「你會受傷的！」Mahasamut 雙手握緊了 Tongrak 的肩膀，警告似地開口。

但被他抓住的人並沒有停下動作，只是繼續舔舐著那柱灼熱，眼眶盈滿淚水，凝視著他，用近乎瘋狂的嘶啞聲音開口：

「做吧。」他擔心 Mahasamut 聽不懂他的意思，又再度補充：「操我的嘴巴。」

Mahasamut 咬緊牙關，一般情況下只要一個命令就能差點殺死他，但現在 Tongrak 的表情……有著乞求。

　　他注意到對方移動自己的臀部及褲子裡的突起代表此時的 Tongrak 也需要得到釋放，但 Tongrak 仍然堅持滿足他，直到 Mahasamut 決定放棄良知。

　　男人拉起了他，讓他躺在沙發上，而 Tongrak 掙扎著似乎不願放棄自己在做的事，Mahasamut 將他的手臂鎖在頭頂上，雙腿跨坐在他的臉前。

　　「在這裡。」他的手抓住自己的分身摩擦著 Tongrak 的嘴唇，看著自己的愛液沾上作家的臉，那模樣極致淫蕩。

　　當 Tongrak 張開嘴時，Mahasamut 像是忘記要怎麼思考那般，將自己的柱身插入了他的嘴裡，但並沒有完全進入。

　　「唔……」Tongrak 抬起了臉，將他的分身推到喉嚨深處。

　　Mahasamut 瞇細了雙眼，試圖讓自己不要再往前插入，Tongrak 已面露痛苦神情，快要窒息一般，於是他努力克制住自己瘋狂的衝動，因而臉上布滿汗水，緊握雙拳咬緊牙關，脖子上的青筋全冒了出來。

　　他真的很想一口氣撞到底。

　　「該死的！」Mahasamut 低吼一聲，雙手撐著沙發，大口喘著氣，低頭看向那個玩弄自己分身的人。

　　Tongrak 像是在品嘗什麼世界上最好吃的食物一般，這刺激的畫面讓男人徹底失控。

　　「對不起！」

「啊！」

Mahasamut 抓住了他的後腦杓並往前一挺，看著他落下了淚，表情有些痛苦，即使如此對方仍然堅持吸吮著，讓這個試圖克制的人應允了 Tongrak 的要求。

他想狠狠上了這個人。

「唔唔……」Tongrak 忍不住吟哦出聲。

這一刻起 Mahasamut 失去了耐心，他加快了速度，釋放了到曼谷以來一直深深壓抑的慾望。

急促喘息聲和深入喉嚨摩擦的聲音，與唾液聲和水聲混合在一起，形成粗獷奔放的節奏。

「我想射在裡面。」

他突然有這股衝動。

他想把自己深埋進那堵緊他的灼熱牆壁裡，想撞到盡頭接著全部釋放，讓所有人知道 Tongrak 是誰的。

這不僅僅是一種渴望。

「啊……呃……」

Mahasamut 抽插的動作惹得 Tongrak 一陣狂咳，他趁機脫掉對方的長褲和四角褲並丟到一邊，分開了對方的雙腿，在手指沾滿口水充當潤滑劑，接著插進了狹窄的入口。

該死的！他再一次咒罵自己，那入口緊得讓他快要發瘋，更別說對方抬起臀部迎接他手指入侵的動作。

「啊……啊……」Tongrak 語無倫次地呻吟著。

Mahasamut 的手指此時對 Tongrak 來說不算什麼，他

希望能有更粗大的東西插入體內，不僅要刺激到內臟，更要在下腹燃起熱量。

「來吧，上我吧。」Tongrak 將雙腿張得更開。

他現在就想要！

「啊……啊……」當進入後方的不再是手指而是 Mahasamut 的分身時，Tongrak 仰頭吟叫，顫抖地弓起自己的背。

他顫抖著抓住對方的脖子，同時感受粗大的分身緩緩往裡頭深入，漲紅的臉蛋向後看，淚流滿面。

Mahasamut 拉起他的身體，讓他坐在自己的腰上，雙手擠壓著他柔軟的臀部扳了開來。

「呃！」

Tongrak 原本以為這已經是最深了，但這個位置卻讓體內的灼熱更加深入。他雙手抓住男人的肩膀，布滿淚水的臉埋進了 Mahasamut 的肩膀上。

Mahasamut 強迫他的身體更往下沉，讓他的分身往深處頂，Tongrak 既痛苦又緊張，更重要的是，他還感覺一股得到滿足的快感。

他喜歡狂野的 Mahasamut，對他很瘋狂，但不會讓他受傷。

「我忍不下去了！」

Mahasamut 將自己的分身更往深處擠去，大掌揉捏著 Tongrak 白皙的雙臀，開始猛烈上下移動，舌尖輕舔著他的

喉結，用力地啃咬。

Tongrak 忍不住瑟縮，雙腿陷入了沙發裡，用自己的腹部摩擦著男人的腹部。

兩人的動作是如此激烈，肉體拍打的聲音迴盪在整個室內，包含唾液交換聲以及彼此的呻吟。

「再來⋯⋯用力一點⋯⋯」Tongrak 不斷搧動著男人的情緒。

Mahasamut 推倒了他，看著下方 Tongrak 白皙的皮膚染上整片嫣紅，身體因為強烈的快感而扭曲著，男人將他的雙腿高舉過肩，更用力地往裡頭插了進去。

「啊⋯⋯Mahasamut⋯⋯很棒⋯⋯哈啊⋯⋯」

「該死的！」

Mahasamut 再次開始來回抽插，客廳裡充斥著吟叫聲，身下的人劇烈顫抖，接著在他的腹部射出濁白的液體。

「射進去⋯⋯唔⋯⋯」

原本打算稍微放緩節奏的 Mahasamut 一聽到對方的哀求，理智又斷了線，他加速了抽插，感覺猛烈的快感襲來，緊接著在 Tongrak 的體內全然釋放，直到滿溢出來。

誰讓 Tongrak 這麼誘人？

「哈啊⋯⋯哈啊⋯⋯」

Tongrak 體力耗盡氣喘吁吁，然而這又喚起 Mahasamut 的野性，他將分身抽了出來，再扳開 Tongrak 的大腿，銳利的雙眼盯著流出乳白色液體的洞口，舔了舔嘴唇。

這全都要怪他太誘人了。

「你⋯⋯你要做什麼？啊⋯⋯Mahasamut 不要舔⋯⋯啊⋯⋯很髒⋯⋯」Tongrak 推了推他的肩膀，全身止不住顫抖，他沒想到 Mahasamut 此時會將舌頭探進自己後方的洞穴。

強烈襲來的興奮快感讓 Tongrak 瞪大了眼，清澈的淚水再度落了下來。

「你喜歡。」銳利的雙眼盯著 Tongrak 說。

Mahasamut 的舌頭沿著狹窄的入口滑動著。

簡短的幾個字就表達了 Tongrak 的喜好。

Mahasamut 試著做了幾件事，如果雙方都同意這樣的癖好，那麼他們就可以由被認為是變態轉而為性的快感。

Tongrak 躺在柔軟的沙發上，舉起雙手摀住眼睛，低聲說道：

「別停下來，繼續。」

這話讓 Mahasamut 像是被鼓勵一般。

他毫不猶豫地將臉埋進誘人的私密區域，舌頭更深入潮濕的部位，感受身下人的顫抖與緊張，種種跡象表明 Tongrak 正有多享受。

「Mahasamut⋯⋯再來⋯⋯再多一點⋯⋯」

男人可以很肯定地說，這只是一個開始。

喚醒他另一面的人，就是那個發出性感呻吟的人。

看來 Tongrak 有效地勾起了他內心所有的邪惡本能。

Episode 21

八分，滿分十分

「有我能幫得上忙的地方嗎？」

Mahasamut 大掌滑過 Tongrak 的腰際，手指輕彈著柔軟的肌膚，用著低沉的嗓音詢問。

「我可以自己處理。」

「我想幫你。」

「你只要幫忙接送 Meena 就可以了。」

「這樣能讓你安心嗎？」

Tongrak 不解地看向他，不懂對方為什麼要問這樣的問題。

「那和你有什麼關係嗎？」

Tongrak 的話讓 Mahasamut 感到沮喪，光是看著這個人蒼白的臉、無助的樣子還有顫抖的身體，就讓人想用力抱住他。再說了，他剛才不是讓 Tongrak 要依靠他嗎？

「我不能擔心你嗎？」Mahasamut 很想留在 Tongrak 的身邊，但他說不出口，因為不想嚇跑對方，然而這滿溢的感情卻讓他不得不換另一個方法開口。

「……」

Tongrak 聞言陷入沉默，好看的雙眼盯著他，接著緊抱住了對方，低低的嗓音從他的胸膛發了出來。

「要擔心就擔心吧。」

男人輕笑出聲，低頭看著臉紅的 Tongrak，他的內心全反應在臉上了。

他怎麼就沒有意識到，Tongrak 剛才突如其來的口交只

是因為太害羞、不好意思說謝謝，才選擇用其他的方法代替呢？

「你答應了嗎？」

「嗯。」

他肯定是瘋了，而且還笑得合不攏嘴。

Mahasamut 的手繼續撫摸著他的背，這並不是因為性需求，只是單純想要表達親密的觸碰。不知道是不是因為如此，讓 Tongrak 比平常更願意表達自己的想法。

「我知道我父親想要什麼，我會給他想要的。如果你想幫忙的話……Meena 對我來說很重要。」Tongrak 語氣嚴肅。

「那她對我來說也很重要。」男人嘴角勾起一抹弧度，用更嚴肅的語氣回應。

因為你最重要。

雖然他並沒有說出這句話，但他知道 Tongrak 應該明白他想說什麼，只見懷中的人迅速轉過身去。

「別再抓我屁股了。」他試著用正經八百的聲音來掩蓋自己的害羞。

「哈哈，對不起，我忍不住。」Mahasamut 大笑出聲，忍不住調侃那個佯裝生氣的人，「從一到十，我能拿幾分？」

「什麼？」他轉過身不解地看他。

「我的性愛技巧啊。」

Tongrak 張大了嘴看起來想罵人，但話還沒出口就立刻打住，或許他不知道該怎麼罵這個厚顏無恥的人。

「我對我的技術挺有信心的，十分有點低，應該是一百分……」

「八分。」

Tongrak 的話讓那個過度自信的男人明顯一愣。

「我給你八分。」

「我是不是準備做得太不足了？這分數有點低啊。」如果是別人可能會因為分數及格而感到開心，但 Mahasamut 卻面露驚愕，看起來一點都不好了，「我應該要能拿到一百分的。」

「胡說八道的話能拿一百分。」

「這樣也行。」

「我喜歡數字八。」

「說真的，老師打分數是因為喜歡那數字才打的嗎？」

「那要不要改成零分呢？」

Tongrak 翻過身決定不理他，但嘴角仍忍不住上揚，特別是有人從後方整個抱住了自己，背部服貼著對方的胸膛時，感覺很好。

「我說了讓你不要再碰我了。」

Tongrak 開口斥責那個貪心的人，他一直沒放棄對自己上下其手並且想要更多。

「我的『小弟弟』就是調皮的孩子，而且我真的只有八

分嗎？八分？？」

Tongrak 用手摀住耳朵，試圖無視那個持續用鼻子蹭自己脖子的男人。

「瘋子。」

「好吧，你和一個瘋子睡在一起。」

作家不打算再回他，只是閉上了雙眼，在內心忍不住暗忖：今天是冷氣壞了，還是床比平常還要溫暖？

Mahasamut 睡著了。

室外的光線灑在沉睡的男人臉上，讓他看起來年輕了許多，Tongrak 想伸手碰他，卻又縮了回來。

就算是熟睡的狀態下，對方也緊緊地抱著自己。

Tongrak 不確定他最後一次睡眠如此平靜是什麼時候了，就算他偎在 Connor 的懷裡也感覺不太安穩，更別說那些床伴。他不喜歡抱陌生人，或許是因為內心深處不太能相信別人。

然而 Mahasamut 是個例外。這讓他忍不住懷疑自己是不是因為厭倦了做愛才會妥協？

自從他們在島上發生關係後，Mahasamut 的懷抱就讓他覺得十分舒服。

腦中盤旋的千頭萬緒讓 Tongrak 決定放下煩惱、不去

理會，只要當下感到安心就已足夠。

「謝謝。」他低聲對男人說。

再次深深地看了男人一眼，Tongrak 嘆了口氣，拉開環住自己腰際的大手，站起身打開了抽屜。

裡頭有一支關了機的手機。

Tongrak 緊咬雙唇，不經意地看了一眼床上熟睡的男人，感到內心平靜了許多，於是拿起手機，走向客廳。

他點開了手機上的銀行 APP，毫不猶豫地轉出了一百萬泰銖，接著打開了 LINE，點開了聊天室。

上頭有不少訊息，全都是他的轉帳紀錄和簡短訊息，而對方名為：爸爸。

Tongrak 又再度傳了訊息給他。

『爸……如果你想要錢的話，就來找我吧。』

他爸爸向來都是如此，從不會主動聯繫，但有辦法做到威脅別人給錢，而自己也只能一次又一次轉帳給對方。

一旦拿到錢，他就會從他們生活中消失一段時間。Tongrak 希望這樣的模式能維持一輩子。

他寧願付錢，也不要讓對方干擾自己的家庭。

對方的已讀讓 Tongrak 開始緊張了起來，本能地要關掉手機，但他顫抖的手卻差點沒讓手機掉下去，儘管那個男人從來沒有回應過他，但他心中仍然充滿了恐懼。

最終 Tongrak 關掉了手機，只是身體的顫抖一時之間無法停止。他想要扔掉這支手機，但內心清楚明白這是不

可能的事，因為這是自己和父親唯一的聯絡方式。

其實若真想要找到父親的所在地，對 Tongrak 來說並不是件困難的事，但他選擇封鎖除了這支手機以外的相關訊息。

白皙的手指緊握手機直到關節泛白，他緊緊咬住下唇，幾乎快要咬出血來。

良久後，他才轉身跑進房間，將手機丟進抽屜深處。

雖然手機已經脫離了視線，但他仍然無法平靜下來，每次和父親打交道時，他都覺得很害怕。Meena 說得對，他無法面對父親，哪怕只是傳一張匯款單都會讓他發抖。

Tongrak 看向那個躺在床上的男人，移動雙腳爬回床上，再抓起 Mahasamut 的手環住自己的腰，依偎在他懷裡。

奇怪的是，原本的不安此時漸漸平息了下來，他緊緊抓住 Mahasamut 的衣服，將臉埋進對方寬闊的胸膛，像是在尋求庇護一般。

「嗯？」男人睜開了有些昏沉的雙眼，「Tongrak？」

「抱住我。」Tongrak 哀求。

Tongrak 的話才剛落下，Mahasamut 便伸手摟住了他的腰，將他拉入懷中，半夢半醒的他輕吻了懷中人的額頭。

「你真過分，讓我抱著你結果自己又跑去工作。」Mahasamut 說了夢話，在那之後又陷入了睡夢中。

那個還沒有完全清醒的男人所說出來的話，不知道為什麼帶來了平靜，而這個擁抱彷彿是自己一直在尋找的庇

護所。

「我哪裡也不去。」

Tongrak 不知道這句話是在告訴他還是自己。他哪裡不想去，只想留在這裡。

Tongrak 閉上了雙眼，耳邊聽到的是男人沉穩的心跳聲，在那之後也進入了夢鄉。

他沒有做惡夢，男人的擁抱就像是強大的盾牌，此時此刻他還沒察覺到，自己有多麼需要 Mahasamut。

「Mook 妹妹，這是 Vi 的耳環。」

「啊，好的好的。」

「這耳環以後就用不到了，現在交還給妳。」

「什麼？」

當劇組的工作人員拿來女明星價值不菲的耳環時，Mook 眼底浮現困惑，讓她最不可思議的是對方居然還將耳環交給了她。

或許得先解釋為什麼她會在九點半時待在片場。

下午兩點的時候，Vi 發了一則訊息給她，要求她來到片場。Mook 心不甘情不願，就在打算回絕時，對方發來一張圖片，內容是 Vi 和 Tongrak 的對話。

她的老闆顯然也是站在朋友那邊的。

Tongrak 表示允許她前往片場。

雖然不難猜到會有老闆這個反應，但有時 Mook 比較希望自己能精準猜到下一期彩券的中獎號碼。

於是 Mook 無奈之下只能開車去片場，原本以為就只是來跑腿的，但一抵達片場卻被拖進化妝間，接著便讓她坐在那裡空等。

這是第一幕。

當 Vi 一走回化妝間，還沒來得及寒暄就又被工作人員喊了回去，所以 Mook 只好坐在那裡繼續等。不幸的是，這場戲拍攝的時間很長，因為有設剪輯點，每個剪輯點都需要多次拍攝，就算 Vi 回到化妝間補妝或換衣服，她們也沒有機會對話。

Mook 就這樣從白天等到了黑夜。

等到晚上劇組告一段落休息時，Mook 才知道 Vi 的最終目的。

「妳能載我一程嗎？我的車壞了。」

什麼？妳瘋了嗎？雖然 Mook 在內心罵得很大聲，但此時的她只能閉上嘴巴。

她聽著對方解釋因為車子壞了，經紀人又不在，剛好 Mook 的住處就在她家附近，所以要求搭便車。

以上就是事發經過。

那位女明星沒有任何道歉，甚至不是請求，只有那一抹微笑讓 Mook 忍不住心跳，覺得自己就要脫口大叫。

接著那個小鳥胃女明星又被喊回化妝間準備拍夜戲，留下 Mook 一臉困惑待在原處，在那之後她就一直坐在化妝間，直到服裝組工作人員拿了一副耳環進來給她。

為什麼要把耳環給她？而不是交給本人？

「妳在幹嘛？跟妳的守護天使說話嗎？」

內心抱怨的對象此時走進了化妝間，Mook 只能緊抿雙唇，看著對她揚起眉毛的美麗女子。

「不關妳的事。」

看著 Vi 那一副欲言又止的樣子，Mook 確認對方又想捉弄她了。

「Vi，妳今天的工作結束了，劇組到時會請工作人員來取回妳的衣服。」

就在這個時候，助理走進了化妝間通知 Vi，而裡頭唯一的服裝設計師則立刻跑去了片場。

現在是晚上九點半，沒人想拖到十點左右下班。

化妝間裡只剩她們兩個人了。

「Vi 姐，妳要帶我去哪裡？」

Mook 瞪大了眼，看著那個拖她走向廁所的女人尖叫出聲。

「廁所。」

「不不不，我知道是要去廁所，為什麼還要拖我進去？」她不解地問。

Vi 轉身看向她。

「因為我搆不到拉鏈。」她將長髮挽到前方，展示了優雅的身材和貼身的洋裝，而拉鏈就在背部正中間，「好吧，不去廁所也可以，就在這裡脫了吧，妳幫我拉一下。」

Vi簡潔地回答，她的話卻對Mook造成了震撼。

她⋯⋯拉拉鏈⋯⋯裸體⋯⋯Vi⋯⋯

說不出話的人看了一眼那片光滑白嫩的皮膚和拉鏈，吞了口口水。

「Vi姐為什麼不認著先自己拉拉看呢？」Mook輕聲地開口。

「我試過了但就是搆不著，快點，我必須脫掉這身衣服。」

由於時間緊迫，Mook只能深吸一口氣，伸出顫抖的手去碰觸拉鏈，但當指尖一碰觸到柔軟的肌膚時，她就像被燙傷般縮回了手。她看了一眼白皙的後頸，發現Vi沒有回頭，於是慢慢地將拉鏈拉下來。

隨著拉鏈拉開那一瞬間，光滑的裸背便徹底暴露在她面前，讓Mook雙頰一陣灼熱。

Mook忍不住好奇此時的Vi有沒有穿內衣，或者她什麼都沒穿。

她越是多想就越覺得臉頰的溫度越來越高。

然而，就在她準備別過頭去時，眼神對上了滿臉笑意的Vi。

「思想邪惡的孩子。」

Mook 連忙將她推進廁所。

「快點換吧。」

「妳想看我脫衣服嗎？」

「不！妳瘋了嗎！？」Mook 驚呼。

「哦，那我替換的衣服在哪？如果我脫掉這件衣服就只剩內衣了。」

Mook 連忙環顧四周，接著在衣架上發現她的衣服，馬上抓來交給了她。

「在這裡，拿去吧。」

「有什麼好害羞的？我們都是女人。」

我們都是女人，但我看妳並不單純是看女人的眼光。

Mook 在內心尖叫。她轉過頭去，耳邊聽到對方輕柔的笑聲，在接過衣服時還不小心碰到了手指，讓 Mook 連忙縮回。

「要是我們不熟的話，我會以為妳討厭我。」

雖然門已被 Vi 關上，但仍然可以聽到她的聲音。

「是討厭啊，Vi 姐總是喜歡開我玩笑。」

「因為妳身上都是弱點。」

「在哪裡？」

「照照鏡子吧，全身都是破綻。」

Mook 緊抿雙唇，接著轉移話題。

「今天，只要開車送妳回去就好，是嗎？」

「是的。」

Mook 鬆了一口氣。

「哦，後天也要來接我。」

「什麼？！」Mook 猛然轉過身，聲音高了八度。

「我不是說我的車壞了。」

「這根本不是我的工作範圍！對了，那天我得開車接送 Rak 哥，他有活動。」

Vi 打開門一臉驚訝地說：「但他沒有告訴我。」

Mook 迅速拿出自己的手機並打開行事曆，從來沒有像現在這樣期待看到 Tongrak 有活動。雖然 Tongrak 更難取悅，但總比對付 Vi 這樣的偽君子來得好。

點開了行事曆，她將手機螢幕翻給對方看，上頭寫著 Tongrak 有一場書展活動。要是可以的話，她想把字加粗劃底線再變紅，讓 Vi 更清楚注意到內容。

Vi 瞇細了雙眼，看向臉上掛著勝利笑容的 Mook，面帶笑意地問：

「Rak 知道這件事嗎？」

「當然知道，我告訴過他了，而且還加進他的行事曆裡。」

「那他看過了嗎？」

Mook 聞言明顯一僵。

「妳什麼時候告訴他的？上星期還是上個月？」

「呃⋯⋯」

「相信我，他現在滿腦子都是 Mahasamut，妳認為他會

記得他的行程安排嗎？」

「我想他的記憶力沒那麼糟⋯⋯」

雖然她嘴巴上是這麼說，但內心也忍不住懷疑起 Vi 話中的可能性。

她差點忘記 Tongrak 根本沒在記自己的行程。

「妳最好提醒一下他，否則他會直接無視喔。」Vi 好心提醒。

如果 Tongrak 不想出門，找來八人扛轎都沒用，而遭殃的就是那個向出版社承諾過作者會出席的小秘書。就她所知，這次活動應該會同時宣布書籍被改編成新劇，要是作者本人沒到的話，將會徹底是一場災難。

Mook 臉色蒼白。

「不可能，Rak 哥不會忘記的⋯⋯對吧 Vi 姐⋯⋯」

Vi 真想抱住她好好安慰，但如果現在這麼做了，對方肯定會哭出聲。

她敢打賭，Tongrak 早就不記得這件事了。

當 Mook 隔天跑去 Tongrak 家想確定他是否還記得這件事時，她的老闆果然一點都不讓人感到意外。

「我不記得了。」

Mook 瞪大了雙眼。

「我就算不去也沒關係吧？」

「不行……不……」

「讓導演和演員去就好。」

Mook 終於忍不住尖叫了。

「如果 Rak 哥不去的話，我就辭職！」

Mook 完全不在乎 Tongrak 聽到她的話後的驚訝表情，如果這場活動他不出席的話，那自己也別混了！

Episode 22

衝突

「Rak 哥餓了嗎？」

「不。」

「Rak 哥有想要什麼嗎？」

「沒有。」

一年兩次的大型書展聚集了幾乎全泰國的出版商，同時也代表參與人數相當多，導致準備進入會場的汽車數量一直排隊延伸到外面的道路，等到終於找到停車位的時候，作家的臉色已相當難看。

Mook 真想向全世界大喊……誰說 Tongrak 很帥氣？想當他的另一半？快來把他帶走吧。

但她只能露出一抹尷尬的笑容。

她知道 Tongrak 之所以心情不好是因為自己。並不是因為她威脅要辭職，而是要來參加這個活動。他向來不喜歡以作家的身分參與電視劇宣傳，如果是一般的簽書活動或者在展位發表演說還可以。

原因一是因為人潮實在太多了，其二則是被問的問題會很多，其三是要演的戲太多。

Mook 嘆了口氣，成為眾人注目的焦點並不是件好事，因為會被人拿放大鏡檢視，一不小心就遭受批評。儘管 Tongrak 說過了他不會在乎，但他畢竟也是個凡人。

上述的原因解釋了為什麼此時 Tongrak 臭著一張臉。

今天，他又得在不情不願的狀況下登台。

儘管 Mook 在一個半月前就開始跟他討論這個活動，

因為主辦方希望邀請作者蒞臨並宣布演員陣容，也想要與出版社有異業合作，當利益達成一致時，雙方便規畫了這次的活動。她也再次強調這是一個書展場合，讓作者上台也是很正常不過的事。

這是 Tongrak 無法逃脫的職責。

Tongrak 很尊重這間出版社的編輯，基本上只要對方要求他都會去做，但這不代表他不會厭煩。

所以，現在 Mook 只能勉強自己露出討好的笑容，繼續問道：

「Rak 哥你累了嗎？」

「我在車裡坐了一個半小時，妳覺得呢？」

Mook 立刻閉上嘴巴。

「那你在這裡等一下，我去找 Mint 確定休息室準備好了沒。」

Mook 離開後，留下了作家和南方青年，後者轉過身對他露出一抹笑意。

「你在生什麼氣？」

「我沒有生氣。」Tongrak 立刻反駁。

「那就笑一下吧。」

「我的臉頰很痠。」

「這麼慘？」

Tongrak 看了一眼那個情緒莫名高漲到讓他心生不滿的男人，對方則滿臉笑容地看著自己。

他並不是在生 Mook 的氣，也不是在生氣塞車，而是他不喜歡其他人看 Mahasamut 的方式。

他怎麼會忘記對方是島上的寶藏？

在島上穿著普通休閒服的 Mahasamut 就相當引人注目，而他稍加打扮後變得更加惹眼，Tongrak 感覺身邊有不少視線投來。他很確定那些眼神是投給那男人而不是自己。

這是讓他生氣的最主要原因。

他想向 Mook 道歉，因為自己對她亂發脾氣，但又不想承認自己嫉妒。

距離他父親的事情才過去兩天，Mahasamut 昨天開始接送他的外甥女，聽說兩人相處得不錯，Meena 甚至還會興奮地打電話來告訴自己 Mahasamut 一直在打聽他的事，Tongrak 覺得兩人的關係親近了不少，讓他很開心。

昨天晚上，Mahasamut 又死皮賴臉地睡在他房裡，並且整夜抱著他。

但他的好心情全被現場那些注意 Mahasamut 的目光給破壞了。

「哦，你做什麼啊？」

作家伸手揉亂了 Mahasamut 的頭髮，無視對方的抗議。

男人抓住了他的手腕，銳利的雙眼直視他，低沉的嗓音開口問：「你現在心情好點了嗎？」

「還沒有。」

「但我的頭有點痛。」

「我又沒有拉你的頭髮。」

Mahasamut 嘴角勾起一抹弧度，湊近了他。

「你弄亂了我的頭髮，要負責整理好。」

「為什麼我要這麼做？」

「因為我希望你這麼做。」

該死的，為什麼他在笑？

Mahasamut 的無賴撩話成功地讓 Tongrak 驅走內心的鬱悶，後者伸出手輕輕將對方濃密的黑髮往後撥，蜜色的雙眼盯著面前的男人，露出迷人的笑容。

「很痛嗎？」

「不痛，你不是故意的。」

Tongrak 笑笑地摸著男人的太陽穴。

「你今天看起來很帥。」

正在享受對方溫柔觸感的 Mahasamut 明顯一愣。

Tongrak 現在是在誇他嗎？

「你……你是 Tongrak 對吧？」

「你……」

Mahasamut 還沒來得及聽到回答就被兩個衝過來的女孩打斷。她們相當熱情，在看到 Tongrak 向她們點點頭時，忍不住一起尖叫出聲。

「我是你的忠實粉絲，真的很喜歡你的黑手黨系列，從第一本書就開始關注你了！」

「哇，那本書很久了！」

「是的、是的！我從初中就開始看這個系列了，還到處推薦給我的朋友們！」

「很高興聽到妳這麼說。」Tongrak 笑笑地回應。

「可以跟你要簽名嗎？真的是太開心了，我是特地來看你的！」女孩看起來興奮得快哭出來了，雀躍地跳來跳去，好像不知道該怎麼辦，她拿出了新書準備讓 Tongrak 簽名，手指還止不住地顫抖，惹得一旁的朋友笑不停。

Tongrak 毫不猶豫拆開了封膜，拿出筆在上面簽名。隨著第一個粉絲靠近，其他人也開始注意到這位是知名小說家，跟著圍了上來。

這一區頓時變成了一個小型簽書會。

「你一個人沒問題嗎？」Mahasamut 在他耳邊低聲問。

「你要去哪裡？」Tongrak 停下了手。

「我去幫你買水。」

看來他會在這裡待一段時間。

「嗯，你去吧，我應付得來。」他回以一笑，接著轉身面向書迷。

Mahasamut 退了一步，看著他的眼裡滿是柔情。

Tongrak 臉上的表情感覺得出他很熱愛這份工作，和他得知自己要上台時的樣子完全不同。

或許是看到其他人享受著自己創造的作品，為此而感到開心。

Mahasamut 很高興能看到他的笑容。

男人邊想邊往商店走了過去，正當他打算買完東西盡快返回以免讓 Tongrak 久等時，一名眼熟的女子擋住了他的去路。

「我可以和你聊一會兒嗎？」

那個女人有著自己熟悉的高傲表情，抬起下巴用不友善的眼神看著他。

「不行，我很忙。」Mahasamut 回以一笑。

他的話一落下便閃過了 Prin，無視她臉上的驚訝。

「等等！」Prin 一把抓住了他。

「小心點，妳這樣抓著我，身上可能會沾到工人的臭味。」

Mahasamut 轉過身面無表情地開口，Prin 立刻像碰到什麼滾燙的東西鬆開了手，不爽地瞪著他。

「我根本不想碰你。」

「是的，我就是個金字塔最底部的人，像妳這樣高貴的人沒什麼好和我聊的。」Mahasamut 沒等她回話便邁開步伐往前。

他跟這個女人沒什麼好說的，就算她是 Tongrak 的親戚，他也不想跟讓 Tongrak 難受的人說話。

被拋在後頭的 Prin 緊握了拳頭。

「等等！」

她又再度追了上來。

「唉。」

Prin 認為這是她這輩子最生氣的時候，打從她出生以來從沒人敢當著她的面嘆氣，這人和 Tongrak 一樣討厭。

「我還沒說完。」

「但我跟妳沒什麼好說的。」

女人看著他咬牙切齒地開口：「二十萬。」

看著男人疑惑地揚起眉毛而不是開口提問時，她繼續說：「我會給你二十萬，只要你照我的話做。」

在看到 Mahasamut 眉頭輕皺、若有所思時，Prin 露出了鄙夷的笑容。

肯賣的都是一樣的，只要給他們錢就好了。

「怎麼樣？很輕鬆吧？比把你自己賣給 Tongrak 要來得賺。」Prin 笑得像個勝利者。

然而 Mahasamut 只是聳了聳肩，沒打算和她繼續說下去，轉身又準備離開。

「等等，站住！」

「妳既然這麼聰明，應該知道我要拒絕妳吧？」

他是拐個彎罵她笨嗎？

Prin 想放聲尖叫，但現在她必須先跟這個該死的男人談判。她連忙跑過去攔住了男人。

「三十萬。」

Mahasamut 連理都不理她。

「四十萬、六十萬……啊！」

Prin 開始氣喘吁吁，因為那個高大的男人大步流星，

讓她追得有些辛苦，然而即使價碼開到了六十萬，對方仍然沒打算停下腳步。Prin 沒有放棄，她從包包裡拿出了車鑰匙，用力往 Mahasamut 背後一扔。

背後傳來的疼痛讓男人轉過身，銳利的眼神看向她。

「我現在可以直接把 Benz 送給你！」

「……」

Prin 指著掉在地上的車鑰匙，相信對方一定會彎腰撿起來，因為這輛車不僅價值兩百萬，要是能讓他照自己的話做，她還願意付更多。

Mahasamut 看了那把鑰匙一眼，接著彎腰撿起它。

「這是妳的車鑰匙。」

正當 Prin 面帶笑意準備指使 Mahasamut 時，對方卻走到她面前，將車鑰匙交還給她。

「把自己賣給 Tongrak 應該比幫妳工作來得有趣多了。」

「等等……」

「別再跟著我，我要去男廁了。」男人舉起自己碰過 Prin 的手，笑笑地說：「我要再去洗個手，不能用沾到髒東西的手碰 Tongrak。」

壓根沒想過會被拒絕的 Prin 一臉震驚呆在原處，男人剛才的話在她腦海裡迴響。

他的意思是說……她是髒東西嗎？

受辱的 Prin 想放聲尖叫，但礙於周遭有人在看，她只能用力地跺腳，憤怒地往另一個方向走開。

她會記住這件事，她會報仇的！

Mahasamut 緊握拳頭，讓他生氣的並不是女人的鄙夷，而是他不想看到有人試圖傷害 Tongrak，況且那個人還是 Tongrak 的親戚。

其實他可以接受她的提議收下錢，再看看那個女人到底想做什麼。

他可以假裝配合，假裝不知情，等著看她準備實行的計畫然後再阻止她。只是直覺告訴自己，就算這只是個計謀，Tongrak 也不會諒解他這麼做。

即使他能解釋一切，但一想到 Tongrak 可能會誤以為自己和 Prin 同一陣線而傷心，他就無法忍受。

也許自己認識 Tongrak 的時間還不算太長，但對方並不是那種會採取欺騙手段的人，他向來正面對決，不拐彎抹角。

就算最終的結果會勝利，但這當中如果傷害到了 Tongrak，Mahasamut 就不能接受。

帶著這樣的想法，他加快了回到 Tongrak 身邊的腳步。

「我要先去和劇組人員會合。」

「妳去吧,我在這裡等。」

後台休息室裡,Mook 猶豫地看著老闆,後者喝著水,揮手將她趕走。

「快去吧。」

「好吧,我等下就回來了。」Mook 還是離開了那裡。

休息室裡只剩 Tongrak 和 Mahasamut 兩人,Tongrak 對男人笑笑地開口:

「你不是說有想買的書嗎?趕緊去買吧,等我活動結束就要回家了。」

這代表他只有這段時間能自由活動。

Tongrak 低頭看了一眼手錶,距離上台還有二十分鐘,所有演員都已經在對面的飯店盛裝打扮了,他們準備搭上保姆車抵達會場,再和粉絲見面;Tongrak 也打算在完成自己的任務後就直接離開。

「我還是留下來陪你吧。」

Tongrak 臉上的笑容越擴越大,回想起剛才 Mahasamut 和自己分享的故事。

「放心吧,她沒辦法對我怎麼樣。」Prin 就算闖進了休息室也拿他沒轍,「還有,我需要你幫我買幾本書。」

他看中了幾本翻譯小說,想在面對人群時先讓自己冷靜下來,正好派 Mahasamut 去採購。

「那我很快就回來。」

Mahasamut 離開後，休息室又再度恢復安靜。

Tongrak 背靠在沙發上，雙腿交疊，聽著時鐘的滴答作響，像是在等待什麼一般。

他雙眼緊閉，房間昏暗燈光將他襯托得更白皙，優雅的姿態再加上凝重的面容，看起來有如著名藝術家打造的莊嚴雕像。

「居然只有你一個人。」

而他等的那個人真的來了。

Tongrak 慵懶地伸了個腰，冷漠地看著闖進來的獵物。

「Prin 不是早就知道我是自己一個人了嗎？」他笑笑地問。

來者很討厭他這樣的態度。

「你在外頭表現得像是另一個人，是擔心自己的本性被人發現嗎？」Prin 嘲諷著。他在自己面前一點也不友好，但在公共場合卻很有禮貌。

「妳不也一樣嗎？」論起雙面人這點，她好像沒資格說他。

Prin 沒有回答他的問題，只是拿了一瓶水和一個杯子坐到他面前。

「我還沒邀請妳坐下。」

Tongrak 看著她給自己倒了杯水，內心早就預料到就算下逐客令，對方也不會離開，雖然知道她會上門，但不代表自己想聽她廢話。

「妳很閒嗎？」

「Rak 哥，你不知道我也是個作家嗎？今天也在攤位上舉辦簽售會了。」

「妳不就是在模仿我嗎？」

年輕女子停下了動作。

Tongrak 不在意哪些作家被安排在哪一天，他沒時間去了解每個出版社的日程安排，也因為他並不是每個活動都出席，導致他並不知道今天的書展 Prin 也會出現。

這女孩打算和他競爭到底。

「現在承認妳是我的粉絲還不算太遲。」

「你缺乏溫暖到自以為是的地步了嗎？」Prin 提高音量反駁。

Tongrak 向前傾身。

「妳不覺得成天踩著我被父親拋棄、母親花錢買男人這樣的事情很膩嗎？這已經是每個人都知道的事，連三歲小孩都想得出更好的攻擊，妳還真是無聊啊，Prin。」

「是啊，」Prin 露出一抹邪惡的笑容，傾身低聲開口，「大家都知道你們家有多亂，阿姨甚至還買了個男人來代替你父親。」

Tongrak 眼神一暗，看著自己的表妹露出得逞的表情。

「你為什麼這樣看著我，Rak 哥？難道我戳中了你的痛處嗎？你的年華逐漸老去，沒有人會像以前一樣不奢求什麼就陪在你身邊，所以你要花錢買愛情。我只是不明白你為什麼非得選那個男人，但不管怎麼樣，即使你這麼沒品

味，我也不想多加干涉。」

Tongrak 越是沉默，對方就越得意。

女孩傾身對上了他的雙眼，繼續說：

「然後我想知道──」

「……」

「你真的以為他會愛你嗎？」

Tongrak 咬緊了牙關，儘管情緒起伏看起來不是很大，但還是被 Prin 注意到了。

「難道你以為買下他就能買到他的愛嗎？你的父親不愛你，你就要靠別的男人慰藉？Rak 哥，我真沒想過你居然是如此單純的人。」

Prin 笑得像是贏家，臉上淨是痛快。

「我是為你好才說的，就算你哭著哀求，也不會有人喜歡像你這樣的人。」

「妳說完了嗎？」

Prin 搖搖頭，舉起一杯水，說了句她知道能對眼前的人造成最大傷害的話。

「到最後，你也會變得跟阿姨一樣──」

Prin 喝了一口水，觀察 Tongrak 的反應，接著用同情的語氣繼續說：

「因為被拋棄而發瘋。」

Tongrak 握緊拳頭，他很早就放棄去理解 Prin，不再質疑這女人為什麼這麼想打敗他，也不想去猜測這是嫉妒還是怨

恨，因為就算有了答案，對方也不會停止在他傷口上灑鹽。

她是真的想看到自己伏地崩潰，想看到自己如同喪家之犬的樣子嗎？

Tongrak 的雙眼燃起了炙熱的鬥志。

聽完 Mahasamut 方才遇到她所發生的情況，他就有預感這樣的事會發生。即使如此，他也沒有心胸寬大到可以在聽見對方的攻擊之後沒有任何反應。

而且 Prin 還扯到了他母親。

「妳認為我會被妳激怒……然後向妳潑水嗎？成熟一點吧。」Tongrak 壓低了聲音，避免讓對方察覺出自己的不穩。

Prin 的嘴角勾起一抹弧度。

「我本來希望你會。」

「為什麼？妳要抓我的把柄？」

「不，這樣更容易。」

「Rak 哥，我回來了……」

外頭的聲音伴隨著 Prin 的動作在同一時間發生。

她將手上的水杯往自己臉上一潑，休息室的門也被打了開來，除了 Mook 之外，還有一群工作人員現身，眾人驚訝地看著眼前的場景。

在 Tongrak 開口講話之前，Prin 率先發聲：

「Rak 哥！你為什麼要往我身上潑水？」

Episode 23

誰是贏家？

偌大的休息室裡一片安靜，Tongrak 仍然坐在沙發上，而被水淋濕的 Prin 則站在一邊吸引了眾人的目光。他們剛剛目睹一名女子驚聲尖叫、全身是水，接著齊齊將視線轉向 Tongrak。

這是怎麼一回事？

「我……我只是擔心你而已，Rak 哥！」Prin 打破沉默，「如果你不喜歡的話可以直接說出來，為什麼要這樣對我？我……我到底做錯了什麼？我們是兄妹，不是嗎？」

她以雙手掩面，遮去上揚的嘴角，知道所有人全都盯著他們看，扮演著被哥哥欺負的妹妹角色並不難。

「我知道你從小就嫉妒我，但我從來沒討厭過你……我只是……嗚嗚……來祝賀你的新戲……你為什麼羞辱我……我……嗚嗚……我只是想當你的妹妹而已……」

聽到周圍的人倒抽一口氣的聲音時，她哭得更凶了，而被她指責的 Tongrak 依舊冷眼旁觀。

在 Prin 舉起手上的水杯時，他就大概猜到對方接下來的動作，一開始他以為那杯水會朝自己來，沒想到她居然潑在自己身上。Tongrak 承認這個舉動比之前聰明多了，也成功引來旁人鄙視的目光，在他們眼裡，Prin 就是個無助、被欺負的脆弱女人。

「呵。」

Tongrak 露出一抹冷笑，對方居然會想出這種招數對付他。

他的笑容讓 Prin 假裝吃了一驚。

「真的嗎？兄妹吵架了嗎？」

「居然還潑水了？」

「這樣好像有點過分。」

儘管沒人上前幫助 Prin，但由他們的對話就知道，大家都將矛頭指向 Tongrak。臉上寫著震驚的 Mook 轉過身憤怒地抗議：

「Rak 哥不會那麼做的，一定是有什麼誤會。」

工作人員面面相覷。

「但證據就擺在面前，Mook 小姐。我知道這是個人恩怨，但要是被大家知道 Tongrak 先生做出了這樣的事，可能會毀掉他的聲譽。」

「我不相信，這不是真的……」

「我做了，Mook。」

「Rak 哥？」Mook 看向 Tongrak，對方打斷了她的話。

Rak 哥是認真的嗎？不管他本人有多任性但從來沒使用過暴力，不管 Prin 鬧了多少次，他也都只是以言語反譏，為什麼現在……

Mook 滿心困惑，看著對自己露出笑容的 Tongrak。

「我現在就立刻這麼做。」

Tongrak 拿起一杯水，直接往 Prin 臉上潑去。

「呀啊！」

眾人都被這突如其來的舉動嚇得不知所措，Prin 的尖

叫聲響了起來。

「Rak 哥你在幹什麼？！」

「嘿，這樣太過分了吧，Tongrak 先生。」一名工作人員上前制止。

在他們進來之前 Tongrak 已經朝對方潑水了，現在又當著眾人的面做了第二次，就算他再怎麼有才華，也會讓大家難以與之合作。

「我已經說過：我『立刻』這麼做。」Tongrak 看向工作人員，放下手中的杯子，轉頭笑著看 Prin，「我勇於承認錯誤，反正都會被怪罪，那就讓事情成真吧。」

「你的話是什麼意思？」工作人員問。

Tongrak 沒有回答，只是朝 Prin 前進了一步。

就在這個時候，其中一名工作人員忍不住抓了他的手，只見 Tongrak 一臉淡定地伸手進口袋，拿出了一支筆。

雖然看起來像支筆，但若仔細注意筆的尖端，會發現紅色光芒有節奏地閃爍著。

「妳知道這是什麼嗎？」

「Rak 哥你是怎麼回事？你傷害了我，還好意思問我？」Prin 焦躁了起來，在她看來就只是一支普通的筆，但上前保護她的工作人員卻饒富興味地看著它。

Tongrak 轉開了筆蓋。

「這東西是這樣用的。」

他將筆連接到另一個裝置後，Prin 就立刻想通了那是

什麼。

「給我！」Prin 伸手想要搶走，但 Tongrak 將手舉高不讓她碰到。

他按下了播放鍵。

「妳認為我會被妳激怒……然後向妳潑水嗎？成熟一點吧。」

「我本來希望你會。」

「為什麼？妳要抓我的把柄？」

「不，這樣更容易。」

Tongrak 和 Prin 方才的對話在休息室裡重播出來。

此時，大家的視線全數集中到臉色蒼白的女子身上。

「不、這不是真的……」

Tongrak 看著那試圖找藉口的表妹，眼中有著明顯的寒意。

「我還要告訴妳一件事。」他指向房間一角，那裡看起來像是個吸頂燈，但其實裡頭安裝了監視器。

他走到 Prin 身邊，將手搭在她的肩上，俯身在她耳邊低聲說：「妳以為自己是什麼小說的女主角嗎？少給自己加戲了。」

Tongrak 捏了捏她的肩膀，接著鬆開手，越過工作人員準備離開休息室。眾人沒攔住他，反而又將目光轉向因為尷尬而滿臉漲紅的 Prin。

「妳……自己把水潑到自己身上嗎？」

「不是！」Prin 尖銳地否認。

Tongrak 懶得再聽她說話，只是拍了拍相信他的秘書，在走出門經過轉角時，看到了熟悉的身影。

「滿意了嗎？」

Tongrak 搖搖頭。

「沒有想像中滿意。」

他原以為自己會很樂意教訓那個女孩，但 Prin 尷尬的窘境並沒有讓他感到多開心，因為對方的話戳中了他的心，如果自己真的像母親那樣被拋棄，他可能也會發瘋吧。

Mahasamut 將他拉進了懷裡，大手托住了他的後腦杓，試著給他安慰。

「你已經很棒了。」

Tongrak 將臉埋進了他的胸膛，咕噥著：

「我不是小朋友。」

「當然不是，但你還是很棒。」

Tongrak 張開了手環住他的腰。在這個時候，他發現自己想要的並不是毫無意義的勝利，他想要的只有這個男人的擁抱。

「那麼，請告訴我們，你所扮演的角色。」

「就由我先開始吧。」

舞台上，在粉絲的尖叫聲之中，演員們逐一上台，Tongrak 則坐在主持人旁邊。舞台另一邊是四位主演和製作人，他們來回聊著剛開始拍攝的戲劇內容，而 Tongrak 明顯心不在焉，一直盯著站在一旁的男人。

即使身在人群中，Mahasamut 仍然只吸引著他的目光。

Tongrak 覺得心裡像是蓬鬆的彩虹棉花糖在膨脹著，又像是口中含著跳跳糖，讓他感覺有些癢癢的。

儘管大多數人都把注意力放在他們最喜歡的演員身上，但離 Mahasamut 不遠處的 Mook 卻將兩人的相視而笑盡收眼裡。

在自己忙著照顧 Vi 時，這兩人是有了什麼進展嗎？

「還是來問一下作者的意見吧。Tongrak 先生怎麼看這部戲呢？」

Tongrak 收回了自己的視線。

他事先看過劇組提出的問題，也早已準備好答案，但現在那些話全部都從腦海中消失了。

此時的他心裡只有一件事。他看著朝自己微笑的男人，內心浮現了一個新的答案。

「我希望這部戲能幫助到某些人。」

「怎麼說呢？」

「我認為，不管是誰都有一個軟弱的角落在心裡，會有脆弱、沮喪的一面。如果能遇到一個安全又強大的存在，那麼就如同走進了情緒的避難所，就像故事裡的兩位主

角，在某種意義上來說成為了對方的後盾那般。」他下意識地看了 Mahasamut 一眼，再將注意力轉回舞台上，「我也想讓看過作品的人得到那樣的力量。」

「說得真是太棒了！Tongrak 先生，這次的四位演員正準備向我們展示這樣的故事！」主持人繼續漂亮接話，而演員們也開始互動傳情，惹得觀眾紛紛尖叫出聲。

然而 Tongrak 卻在內心暗忖：他所謂能得到那樣的力量的人，也包含了自己嗎？

「你很厲害。」

「你是在恭維我，還是諷刺我？」

「我曾經諷刺過你嗎？」

Mahasamut 看到他翻翻白眼，忍不住輕笑出聲。

「你剛才的表現很棒。」

「你是指哪個時候？上台前還是在台下？」Tongrak 聳聳肩，掃視現在已經空無一人的休息室。活動結束後，劇組人員已帶著演員去見粉絲，而 Mook 則去攤位找出版商，休息室裡只剩他們兩人。

Mahasamut 在腦海中反覆思考著，當 Tongrak 在舞台上的時候，他看到一個對工作充滿熱情的人，儘管 Tongrak 曾表示不喜歡參加這樣的活動，但只要一談到工作，他眼

底就迸發耀眼的光芒，像個孩子般視工作為一種樂趣。

Mahasamut 很喜歡他享受其中的神情。

「別再讓我擔心了。」

當 Tongrak 堅持要自己一個人留在休息室面對 Prin 時，Mahasamut 很擔心他的處境。

「我告訴過你我能應付。」

「但我會擔心你。」

「你留下來能幫什麼忙？」

「可能會把她扔出去吧。」Mahasamut 眉頭輕皺。

Tongrak 忍不住大笑出聲。

「你真像個孩子。」

「是的，我比你還要年輕。」

一般來說 Mahasamut 都是掌握局勢的人，然而當 Tongrak 強迫他在外頭等時，他很想像個小孩一樣耍任性。

Tongrak 覺得很有趣，所以不介意自己被視為老人。他走近了男人，將手放在對方的胸口上。

「好吧，那你想要什麼？」

Mahasamut 低頭看他。

「我希望你不要再把自己置於危險之中。」

他的眼神嚴肅，語氣不像平常那樣玩笑輕鬆。

雖然 Prin 沒有傷害 Tongrak 的身體，但若沒有錄音筆，Tongrak 的名聲就全毀了。

Tongrak 想了一會，接著開口說：「那下次讓你留下

來，就變成兩個男人欺負一個女人。」

他的話一落下，就看到男人面露尷尬。

「你看起來很得意的樣子，Tongrak 先生。」

「畢竟事情還算順利囉。」Tongrak 愉快地揚起眉毛。

Tongrak 的好心情讓 Mahasamut 輕易認輸。

「是的，你贏了。」

就在這個時候，Tongrak 飛快地在他唇上落下一吻。

「你乖乖等待的獎勵。」

此時的 Tongrak 已不復台上精明能幹的作家模樣，這一面就只會在 Mahasamut 面前展現。

「這就是你給的獎勵嗎？」

男人摟住了他纖細的腰。

「那你想要什麼？」

Mahasamut 俯身靠近了 Tongrak，鼻尖輕蹭他的臉頰，汲取他身上的氣息。他沒有回應 Tongrak 的問題，只是看向對方的雙唇。

「好吧。」Tongrak 雙手環住他的頸項，嘴唇輕擦過他，激起內心的躁動，「來拿吧。」

男人露出一抹笑意，俯身想要親吻他，然而就在雙唇即將碰上時，Tongrak 退了一步，用手擋住對方。

「但不是在這裡，你忘記有監視器了嗎？」

當 Mook 再度回來時，只見 Mahasamut 沮喪地坐在一旁，而 Tongrak 則一派輕鬆的模樣，這奇怪的場面讓她忍

不住心想自己又錯過了什麼？

「你知道 Prin 往自己身上潑水的影片在網路上瘋傳嗎？」

「那又如何？」

「所以是她自己幹的？」

一間西餐廳裡，Tongrak 坐在 Mahasamut 身邊翻著菜單，而 Vi 則坐在 Mook 旁看著手機裡的影片。

Tongrak 一副漠不關心的樣子，當 Vi 開口詢問時，才朝她露出一抹笑容。

答案已經很明顯了。

「我只是去工作了半天，就錯過了最精彩的片段。」Vi 有些遺憾。

如果她早知道的話，就會取消活動去看戲。

「沒什麼大不了的。」

「少來了朋友，你是怎麼做到的？快告訴我。」Vi 不耐煩地做了個「快快快」的手勢，要 Tongrak 現在就坦白一切，不要讓她猜。

Tongrak 轉頭看向坐在身邊的 Mahasamut。

其實真的沒什麼大不了的。

「就只是……」

當 Mahasamut 告訴他遇到了誰以及發生什麼事後，Tongrak 便考慮起該怎麼解決 Prin 這件事。自從經歷過父親的事件後，他就習慣隨身攜帶錄音筆，原本只想錄下對方的惡毒言語，沒想到 Prin 居然會把水往自己身上潑。

當時的她肯定很得意，認為計畫能成功，而現在她一定覺得自己無敵蠢。

至於那些被流出的影片，Tognrak 只是讓出版社聽到他錄下的那一整段對話，接著安心等待。

他不知道會有多少人同情他，但至少有人會去尋找真相，至於對方做什麼反應就不關他的事了。然而 Tongrak 卻驚訝地發現大家都為他報不平，還表示他根本不必聽這種惡言惡語。

——我不會讓你受侮辱的。

——是的，你什麼都沒有做。

——我要把這件事告訴她的出版社，這樣出版社就不會再出版她的作品。

——我會確保每個人都知道真相，現在還有些人半信半疑，只因為那個神經病會到處找藉口。

Tongrak 沒想到網民會這麼氣憤。

「還是有很多人很關心你的。」Mahasamut 下了最終結論。

就在他把事發經過告訴 Vi 和 Mook 的同時，男人如此安慰他。

「所以，是你們把影片發給出版社，然後他們去尋找真相、調出了監視器畫面，才把影片外流的？你為什麼不自己發布呢？」Vi 好奇地問。

「因為……她提到了 Rak 哥的媽媽。」Mook 發出了微弱的聲音。

「哦——」Vi 拉長了尾音，露出理解的表情。

Vi 大概能猜到那女人說了什麼過分的話，導致 Tongrak 不得不認真反擊。

一般情況下 Tongrak 只會反唇相譏，然後讓事情就此翻篇，但這次那女人扯到了他媽媽，踩到了底線。

Tongrak 確實害怕他的父親，但他深愛自己的母親。

這肯定才是惹惱他的關鍵所在。

「現在 Prin 應該在家裡大失控了吧，下面的評論很不友善。」Vi 翻過了手機螢幕讓 Tongrak 看看，後者一臉不在乎，反而是 Mook 湊上前來。

「大家都說她該去看醫生。」Mook 嘆了口氣，「要是 Rak 哥沒有隨身攜帶錄音筆的話，天知道會發生什麼事。」

她一點都不同情對方，誰叫 Prin 想陷害 Rak 哥。

「還有人說 Rak 再次向她潑水是正確的反擊，要是我的話，應該也會做一樣的事。」Vi 笑笑地說，接著像是想起什麼似地看向 Tongrak，「難道說那支錄音筆是……」

「嗯，是妳送我的生日禮物。」作家對她一笑。

Vi 拍拍自己的額頭，沒想過自己送朋友的禮物居然會成為對付那個惡毒女孩的武器。

「看吧，我就說總有一天會派上用場。」Vi 開心地說。

「你要喝紅酒還是白酒？」

「紅酒吧，要喝嗎？」

「就聽你的。」

眼前的男人們像是沒聽到 Vi 的話，兩人看著同一份菜單，明明 Tongrak 手邊也放了一本。

「這個情況已經維持很長一段時間了，Vi 姐。」Mook 小聲地對 Vi 說，「我們該怎麼辦才好？可能會往更不好的情況發展。」

Vi 笑看著滿臉焦急的 Mook，她知道對方總是愛擔心 Tongrak，但她卻抱有不同的想法。

「我也想吃 Pizza。」Tognrak 說。

「那就點吧。」Mahasamut 回應。

「我一個人吃掉一整盤嗎？那兩個女人肯定吃不了多少，到時只會嘲笑我變胖。」

「你點吧，我來幫你吃。」

Mahasamut 輕捏 Tongrak 的臉。

Tongrak 低頭看向菜單，再點了不少料理，然而當料理上桌時，他又只吃了一、兩口就丟給了 Mahasamut。

兩人的相處模式讓 Vi 忍不住好奇地問：

「你們兩個是開啟了約會模式嗎？」

那兩人終於願意將目光轉向別人了。

Mahasamut 沒有說話，只是面帶微笑，而 Tongrak 則是雙頰一陣飛紅。

「你為什麼臉那麼紅？」Vi 繼續追問。

「很熱。」Tongrak 有些不自在地說。

「你穿長袖是覺得天氣冷，現在又說熱？」

Tongrak 瞪了好友一眼，Vi 只是聳聳肩，接著看向坐在身邊的人。

「那我們呢，Mook？」

Mook 被正喝入口的水嗆到，小臉漲得通紅。

「沒……咳咳……什、什麼？Vi 姐……咳咳……妳說什麼？」

「我說的是妳明天早上五點半要來接我去片場的事。」Vi 看了好友一眼，又看了 Mook 一眼。

看來還有戲能繼續唱下去，對吧？我的朋友？

「呀啊啊──！」

在一輛豪華轎車內，美麗的女子此時全身狼狽，她將手機扔向旁邊，在座位上放聲尖叫，腦海滿是影片下方的批評和詛咒！她不知道影片是怎麼洩露出去的，唯一能確

定的是，這和 Tongrak 一定脫離不了關係。

　　這肯定是他幹的！

　　「呀啊啊！」Prin 再度尖叫，雙手猛打方向盤，刺耳的喇叭聲迴盪在整個停車場內，但她一點也不在意。

　　此時手機傳來了訊息，她抓回手機，點開對話。

　　『影片裡的人是妳嗎？』

　　她的朋友發來了訊息，還附上了監視器片段。

　　在那之後，她收到了男友的訊息。

　　『妳做了什麼？這是我朋友傳給我的，妳瘋了嗎？我覺得好丟臉⋯⋯』

　　Prin 雙手顫抖，連忙回訊否認。

　　『妳認為我是白癡嗎？這明明是妳⋯⋯』

　　「都說了不是，聽不懂嗎！」

　　她將手機丟向遠處，雙手緊抓著頭髮，眼底滿是怨恨。

　　「我不會放過你的！我絕對要讓你後悔！」

　　她不會讓事情就此結束！

Episode 24

喜歡他就不要
再否認了

　　Mahasamut 走進公寓，將鞋子整齊地放在架子上，車鑰匙掛到廚房入口指定的位置，接著將手上的東西放進了冰箱，一邊整理一邊想著晚餐的菜色。

　　現在是下午四點半。

　　今天 Meena 下午三點就下課了，他提早出發去為那個抱怨認真念書所以肚子好餓的人買零食，用食物讓她閉嘴後便送她回家。

　　在那之後他急忙返回公寓，因為還有個人正在埋頭寫作。

　　男人一邊思考一邊打開臥室門，還沒看到 Tongrak 就已經聽到敲打鍵盤的聲音。

　　Tongrak 最近一直沒日沒夜工作，一天幾乎只吃一頓飯，但像 Mahasamut 這樣的人絕對不會放任他，只要醒了就會拖他去吃東西，已經到了用湯匙餵他吃飯的程度，然後才放他回去工作，直到晚上對方會再走出來喊肚子餓。

　　Mahasamut 不知道在這之前 Tongrak 到底都怎麼過活的，但這幾天相處下來，Tongrak 在島上的挑食似乎是有跡可循，因為他平時幾乎什麼東西都不吃。

　　他忍不住時時擔心那個不懂得照顧自己的人。

　　銳利的眼神盯著 Tongrak 纖細的背影，而那位作家專注看著電腦螢幕，表情隨著內心所構思的劇情而產生變化，甚至沒注意到自己站在門口。

　　男人讓他在房裡獨自專注地工作，自己則返回房間拿

起 Palm 寄來的筆電。

在遇見 Tongrak 之前，Mahasamut 曾打算要開發一些產品，為島上的居民創造就業機會，在工作了一段時間後，他想試著進一步擴展這樣的計畫。

他專心地檢查著發給他的設計圖和材料，耳邊聽到了開門的聲音。Mahasamut 沒有回頭，手指仍在鍵盤上輸入想要對方調整的部分，接著感覺到有人靠到自己的肩上。

Tongrak 此時蜷縮到沙發上，頭靠著 Mahasamut 的肩膀，看起來相當惹人憐愛。Mahasamut 將筆電放到桌上，環住了他的腰，俯身在他額上落下一吻。

「餓了嗎？」

「還沒有。」

「那累了嗎？」

「嗯。」Tongrak 低聲說。

「要休息一下嗎？」

「不，我的腦子還在飛速運轉。」

那個該休息的人說他不打算停工太久，等下就會回去工作，Mahasamut 緊緊抱住了他，清楚自己該做什麼。

他知道 Tongrak 在寫浪漫場景時需要擁抱某人，但在書展後他似乎更喜歡擁抱了。不論是睡覺或是工作，一開始 Mahasamut 還無法預測他的喜好，等到自己抱了一、兩次對方都沒有抗議後，他就大概摸清了 Tongrak 的喜好。

他在尋求溫暖，而 Mahasamut 也不想拒絕他撒嬌。

　　Tongrak 將臉埋進了他的胸膛，緊閉雙眼沉浸在舒適的懷抱，最近他有了和以往不同的巔峰狀態，猜想可能是因為吃得好、睡得好，所以靈感才源源不絕。他不想就此停筆，並且認為故事裡的主角怎麼看都很可愛。

　　以前他覺得嘟嘴的動作有些煩人，但現在他描寫這樣的場景時，甚至面帶笑意。

　　過去當他感覺疲勞時會想喝咖啡，現在他選擇擁抱這個男人。

　　Tongrak 只是想讓眼睛休息一下，但他發現抱住對方比咖啡因還有效，只是當他像這樣抱住對方時，就會懶得回去工作，因為這個男人的擁抱實在是太舒服了。

　　「你想喝杯咖啡嗎？我幫你煮。」

　　Tongrak 雖然想要喝咖啡，但他不想讓 Mahasamut 離開，當他瞥見對方放在前方電腦螢幕上的東西時，漫不經心地開口問：

　　「這是什麼？」

　　「哦，我在做我的工作。」

　　「你不是開潛水店嗎？」他好奇地看向 Mahasamut，螢幕上的東西好像和潛水沒關係。

　　「我打算在島上賣這個。」Mahasamut 指著螢幕上的編織手環，上頭掛著一個小型的珊瑚銀飾，除了珊瑚之外，還有魚、船、樹葉等吊飾，「這些材料都是回收再製的。」

　　Tongrak 一開始以為那些飾品都是銀製品，但顯然不

是。他都忘了如果沒必要，Mahasamut 甚至不太愛用吸管。

「挺可愛的，女孩子應該會喜歡。」

「那你呢？」

Mahasamut 與他對上了視線，等待著他的答案。

「嗯……怎麼樣呢……」Tongrak 佯裝慎重思考。

「喂，別逗我了。」男人仍然等著答案。

「平常是誰在逗誰啊？你才是那個喜歡裝模作樣的人吧。」

「所以如果你覺得不好看，我會解讀成你想惹怒我。」

「那如果我說喜歡呢？」

「你的喜歡……還會有其他意思嗎？」

Mahasamut 的話讓 Tongrak 臉上的笑容越擴越大。他看了一眼螢幕上的首飾，再回頭看向男人。

「我喜歡，很可愛。」

他在 Mahasamut 的唇上落下一吻，溫柔得像是蝴蝶拍動翅膀一般。

「我也喜歡你。」男人靠近了他，用低沉的嗓音開口說。

Tongrak 聞言瞪大了眼，望進那雙銳利的眼神，感覺心跳加快。

「我都說這麼多了，你不回應些什麼嗎？」男人大掌輕撫他的臉頰，笑笑地問。

「……我指的是手鏈。」

「但我指的是你。」

Tongrak 下意識地別開了眼睛，他還有點不太習慣被人這麼看著的感覺。他不明白喜歡這個詞代表的意義，為此感到不知所措，不知道往後是否該避開這樣的溫暖觸碰。

Mahasamut 淺淺嘆了口氣。他可以再進一步，但向來無所畏懼的他此時卻害怕知道對方的答案。

然而他的話是發自內心的，而且這樣的感覺越來越強烈。

室內陷入一陣沉寂，門鈴突然響了起來，讓 Tongrak 嚇了一跳，看向了門。身旁的高個子早先一步鬆開自己的手，接著起身。

「我去看看。」

Mahasamut 離開後，Tongrak 嘆了口氣，理智讓他不能有任何感覺，他們之間除了金錢交易什麼也不是，但情感卻讓他無法直接爽快地當面否認。

這個問題終究沒有解答。

「怎麼了，帥哥，我那個淫蕩的朋友在哪？」

正當 Tongrak 還在思考「喜歡」這個詞的意義時，尖銳的女聲夾帶著刺耳的稱呼傳了過來。他看往門的方向，只見他的損友走了進來。

「這稱呼有點過頭了。」Mahasamut 面帶微笑地反駁。

「哦，難道不是事實嗎？」

「如果他和我在一起時才放蕩，那我就不介意。」

有時 Tongrak 真的很不喜歡這兩人的一搭一唱，為什麼他們會如此合拍？

「那妳也是蕩婦。」Tongrak 忍不住回嗆。

「哦，天啊，我才不是普通的蕩婦！我是受萬人敬仰的蕩婦，不要看不起你朋友。」Vi 越過 Mahasamut 走進了屋內。

「妳和我秘書怎麼了嗎？」通常 Vi 會獨自前來造訪，基本上都和他秘書有很大的關係。

Mahasamut 關上了門後，走進廚房替 Vi 倒了杯水。那位女明星此時一臉無奈地坐在沙發上。

「你的秘書在各方面都很聰明，唯獨一件事，腦子特別不靈光。」

「哪件事？」

「我的事。」她嘆了口氣，「她為什麼總是看不到我的魅力？難道有那麼不明顯嗎？」

「我一開始也沒看到妳的魅力。」

「混帳朋友，我是你朋友裡第一個當上女主角的人，你明知道的。」

「少在那裡自大。」

Vi 瞪著吐槽自己的好友，然而 Tongrak 一臉不在乎，只是溫柔看著坐在身旁的男人。

Vi 瞇細了雙眼，還以為自己看錯了。她認識對方這麼久，第一次看到他露出這樣的表情。以往對於離他太近的

人，Tongrak 總是會感到不悅或惱怒，但現在他居然主動往那個男人靠近。

「妳為什麼不直接告訴 Mook 妳的感受呢，Vi？」

Mahasamut 的問句讓她瞪大了眼。

「你看得出來？」

「很明顯。」

「唉……」她靠在沙發上，沮喪地踢著腳，「全世界的人都知道了，就只有那位秘書不知道。我為什麼要假裝車壞了，因為想讓她接送我；為什麼要想方設法指使她，因為我想多一點時間和她相處；我想了千百萬個理由就為了讓她進我房間，我做了這麼多事，為什麼她感覺不出來呢？」

「妳可以直接告訴她。」Tongrak 說。

「如果先開口的話我就輸了，你懂我的意思吧？」Vi 抬起頭，語氣嚴肅。

「不懂。」她的好友淡淡地駁回。

「你怎麼能不懂呢？你小說裡的主角也不會先告白的不是嗎？寫給我演的劇通常都是可憐的女主遇到了卑鄙的男主，而且你也寫過先告白的那個人是輸家。」

「那是虛構的小說，不能和現實混為一談。」

「閉嘴，如果你不想幫忙的話就別開口。」

「要是我不想幫忙的話，在妳詐她時就不會幫妳了，摸著良心想想看吧，朋友。」

　　這兩位好友誰也不讓誰，一旁的 Mahasamut 也沒打算阻止，因為他知道這兩人都很執拗。

　　「我該直接吻她嗎？」女明星認真地問。

　　「誰阻止得了妳？」

　　「混帳！我可是有道德標準的！」Vi 大聲回嗆。

　　Tongrak 忍不住輕笑出聲，若要說沒有道德標準的人，就只能是他自己了。

　　「是啊是啊妳有，我就是個蕩婦，一個總是到處拈花惹草的混帳……你也這麼認為的，對吧？」他面帶笑意地看著坐在一邊的 Mahasamut，後者只是回以一笑，用沉默代表回答，「自從你喊她 Vi 的那天起，就已經站在她那邊了嗎？」

　　男人大笑出聲，看著 Tongrak 不悅地嘟嘴，伸出手將鬧彆扭的人擁入懷中，Tongrak 一開始還掙扎著，不一會就放棄了抵抗。

　　如果 Tongrak 不想要人家抱他，Mahasamut 現在應該已經在地板上了；但若他想要被人抱，還是得稍微掙扎才符合 Tongrak 先生的本性。

　　「你在生氣嗎？」

　　「誰生氣了？」

　　Mahasamut 輕揉對方的肩膀，像是討好一般。

　　「好啦，別生氣了，我們合好吧……」Mahasamut 在他耳邊低語。

Tongrak 耳根子都紅了，將臉直接埋進男人的胸膛。

「唉，我真是受夠了！」Vi 忍不住對天一翻白眼。

「你喜歡他。」

「妳在說什麼？少胡說八道！」

Tongrak 駁回好友的說法，什麼喜不喜歡的？他從來沒想過這麼荒謬的事。

Vi 起身打開房門，瞄了瞄那名高大的男子正在廚房忙進忙出，又關上了門，將 Tongrak 拉到床上坐了下來，雙手捧住他的臉。

「你說，我們當了多少年的朋友了？」Vi 用手指向朋友，接著反指自己。

「妳是數學沒及格還是記憶力衰退？十五年。」

「是的，十五年。朋友，我們當了十五年的朋友了，打從你高中剪了個可笑的髮型時，我就認識你了，當時我還綁了兩根辮子，記得嗎？」

「根本是一段孽緣。」

「是的，因為孽緣讓我們了解彼此，一起經歷了人生的每一個階段，所以我看得出來，你——喜歡 Mut。」Vi 總結，指向他的胸口。

Tongrak 明顯一愣，虛弱地反駁：「不……」

「你是在搞笑嗎？」她不讓對方有把話說完的機會，舉起了手開始計算，「你還記得最後一次跟男人上床是什麼時候的事嗎？」

作家閉上了嘴，很快在大腦中想過一遍，發現他完全不記得了。

Vi 看起來一臉得意，接著舉起了第二根手指。

「你最一次去酒吧是什麼時候的事？先別急著說喔。你想和其他男人上床嗎？你也能在別人面前露出那樣的表情嗎？你能將頭靠在別的男人肩上就像靠著 Mut 一樣嗎？如果你無法回答，那就必須承認我剛才說的都是對的。」

Vi 的話一落下後，房間陷入了沉默。Tongrak 試著整理朋友說的內容，想要尋找答案，然而越想就越心煩。

「如果妳打算在這裡天馬行空幻想就回去吧，我還有工作要做。」他決定下逐客令。

Tongrak 的固執讓 Vi 瞇細了雙眼，直接躺在了床上。

「不，我不回去，想讓我回去就叫 Mook 來接我。」她抱住枕頭拉起被子，接著繼續說：「你就別再否認了。」

確定好友完全沒有想要離開的意思，Tongrak 忍不住抓起一顆枕頭往她丟了過去。

「妳不也是個傻子？」

他不打算再和 Vi 唇槍舌戰，無視對方臉上的不爽，逕自走到桌前繼續工作，儘管好友的話始終盤踞在腦海裡。

他？喜歡 Mahasamut？這未免也太荒謬了！

但事情真是如此嗎……

不，他不需要回答這個問題。

市中心一間有名的餐廳裡，一名身著西裝的中年男子悠閒地喝著咖啡。他的五官分明、臉上仍保有年輕時的風采，吸引了不少女子的側目。

正是這張老少通吃的臉，給了他現在所擁有的一切。

「姨丈，你好。」

一名長相漂亮的女孩子朝他走了過去，吸引了 Jak 的注意力，他立刻掛上親切的微笑。

「好久不見了，我的外甥女，妳已經長成了淑女的樣子了。來，讓姨丈抱抱妳。」Jak 站了起來，像個溫暖的長輩想給 Prin 一個擁抱，後者卻躲開了他那個不真誠的擁抱，逕自坐了下來，毫不在意他的示好。

Prin 很了解對方的為人。

Jak 並沒有因為她的無禮而生氣，臉上仍掛著笑容，跟著坐了下來。

「妳現在很有名了呢。」

「Jak 姨丈！」

Prin 先是一愣，接著用力地起身，憤怒地盯著面前的男人，像是想將對方吃下肚一般。Jak 仍以和善的姿態看向

她，儘管才剛踩到了對方的痛處。

如果不是在說書展的監視器畫面，還能是什麼？

「我兒子實在是太過分了，我代替 Rak 向妳道歉，妳一定很尷尬吧？」

「Jak 姨丈！」Prin 再度喊了對方的名字，緊握雙拳。

這就是她討厭這個男人的原因。

Prin 完全不明白阿姨為什麼會愛上這種人，雖然他看起來很和善但內心絕非如此，Jak 姨丈不只是長得帥，還很懂得如何玩弄人心。從剛才到現在才不過兩分鐘，自己已經被他玩弄於股掌之間。

如果她不是走投無路了，也不會坐在這裡。

要找到 Tongrak 的父親並不難，這男人從來沒有隱藏過自己的身分。他從阿姨那裡拿到錢後仍然肆無忌憚遊戲人間，就算已不再年輕，仍然有不少人拜倒在他的西裝褲之下。

她別無選擇，只能來找他。

「妳看起來很不好，Prin。」

她真的很絕望，沒想到自己的生活會被監視器畫面和現場目擊者的證詞給摧毀。

她的男朋友已提出分手、出版社拒絕再出她的書、周圍的人也避她唯恐不及，更不用說那些在社群媒體上攻擊她的評論。

但她不可能讓自己成為唯一一個受害者，說什麼也要

拉 Tongrak 當墊背！

　　Prin 清楚知道能幫她完成這個計畫的，就只有面前的男人……Tongrak 的父親。

　　「有什麼我能幫得上忙的嗎？」男人笑笑地問。

　　「你想拿什麼交換？」Prin 咬牙切齒地問。

　　她不是傻子，知道對方不可能免費幫忙，這個男人從來不做白工。

　　聞言，Jak 佯裝嘆了口氣。

　　「最近，姨丈的股票跌了不少。」

　　這男人除了騙女人的錢外，根本不會做什麼正經事。

　　「五百萬。」Prin 心裡已經有了一組數字。

　　Jak 露出了驚訝的表情。

　　「做為交換，你要摧毀他的一切，盡你一切的能力。」Prin 露出了邪惡的笑容。

　　「如果我能做到的話。」

　　Prin 咬牙切齒，儘管要討價還價，她也別無選擇。

　　「如果你能讓我滿意的話，我可以再付你更多。」

　　Jak 舉起咖啡杯輕啜了一口，用慈愛的長輩語氣對著外甥女說：

　　「我有什麼理由不幫忙我唯一的外甥女呢？」

　　毀掉自己的兒子，一點都不難。

Episode 25

慈祥的父親

「你喜歡他。」

不,不可能。

「你還記得最後一次跟男人上床是什麼時候的事嗎?」

兩個月前。

「你最一次去酒吧是什麼時候的事?」

呃⋯⋯兩個月前。

「你也能在別人面前露出那樣的表情嗎?」

絕對不可能。

「你能將頭靠在別的男人肩上就像靠著 Mut 一樣嗎?」

從來沒有過!

Vi 的話在他的腦海盤旋不去,不論自己有多麼想反駁她,但只要回想起和 Mahasamut 相處的種種行徑,Vi 的質問便會再度浮現心頭。

他很想認為她的話很荒謬,然而內心卻無法停止去想。

Tongrak 凝視著那張銳利的臉,彷彿下定了什麼決心般站起了身。

「嘿,你要去哪裡?飯還沒吃完呢!」一見他起身走進臥室,Mahasamut 連忙喊道。

Tongrak 沒有回應。

正當 Mahasamut 準備起身跟過去時,Tongrak 已穿上深色的薄襯衫及高腰休閒褲走了出來,身上還帶了昂貴的香水味。

「你要去哪裡?」男人眉頭輕皺。

「這是我的車。」Tongrak 抓起車鑰匙，回答得很簡短。

Mahasamut 跑過去擋在作家面前，明明前不久他們還處得好好的，為什麼現在又突然築起了高牆？先前的甜蜜仍然歷歷在目，他不接受一句不說又拉開距離的選項。

Tongrak 看了他一眼，抬起頭傲慢地說：

「我要去做雷射。」

「什麼？」

「我要去做雷射除毛，你以為我天生皮膚就很光滑嗎？」

他從來沒這麼認為過，就只是覺得他皮膚很好，舔起來很舒服。

男人迅速拋去腦裡的想法，現在有更重要的事。

「等等，我們先談談。」Mahasamut 拉住了他的手臂。

「什麼事？」Tongrak 回頭看向他，眼底有些許不悅。

「是女的還是男的？」

「你想說什麼？」

「幫你做雷射的，是女的還是男的？」

Tongrak 嘆了口氣，像是在講什麼大家都知道的事情一般。

「我不會讓女人碰我那裡的。」

雖然他也不會讓女人碰他那裡，但如果是男人的話……

當 Mahasamut 還在想著要選男人或是女人碰重要部位

比較能放心時，Tongrak 已掙脫了他的手。

「我可以和你一起去嗎？」Mahasamut 連忙再度抓住他的手。

「不行。」Tongrak 面帶笑意地否定。

語畢，他便再次甩開 Mahasamut 的手，離開了那裡，留下男人呆站在原處。

「這是你打算和一個十三歲小孩討論的內容嗎？」

「那我能找誰討論？」

「因為你沒有其他朋友，所以扣三分。」

學校附近的甜點店裡，Mahasamut 托著下巴，看著那個正在吃冰淇淋的十三歲女孩。他不懂自己怎麼會絕望到想要和對方討論這件事？

剛才一副高高在上的女孩此時露出了甜甜的笑容。

「難道是 Rak 舅舅厭倦你了嗎？」

Mahasamut 眉頭輕皺。

「不可能。」

女孩嘟起嘴，重複了剛才男人說的話。

「你自己也說了，他突然離家說要去做雷射，以前他都喜歡待在家裡，現在這麼做只能證明一件事。」Meena 一副她比較了解 Tongrak，你要信不信隨你的表情。

「只能證明什麼？這位顧問？」

「證明你們之間的激情已經消失了。」

Mahasamut 忍不住輕敲她的頭。

「不可能。」

「你憑什麼一直否認？我舅舅外表那麼出色，一定能找到條件比你好的人。」

她似乎忘記自己已經接受了眼前的這位舅舅，這也讓 Mahasamut 忍不住一笑。

「我有信心……這就是成熟大人的自信。」

「你只比我大個七、八歲，在 Rak 舅舅眼裡，你也是個孩子。」

Meen 繼續吃著她的冰淇淋，Mahasamut 卻因為她的話愣住了。

從 Vi 跑來抱怨 Mook 的那天起，Tongrak 就會經常離開公寓，之前他明明是個專注在工作上且在疲倦時會尋求自己安慰的宅男，最近卻一反常態。

他開始思索起眼前這女孩話中的可能性。

難道 Tongrak 真的厭倦他了？

不，這不可能。

「你要去哪裡？」

Tongrak 才一走出臥室，身後就傳來低沉而危險的問話，身著圍裙的 Mahasamut 就站在他後方，臉色陰沉。

Tongrak 緊咬雙唇，好友的話在腦海中縈繞不去。

都怪她。她說自己喜歡眼前的男人。

在意識到這點時，Tongrak 知道自己必須改變，過去兩個月他經常和 Mahasamut 廝混在一起，是時候打破這個模式了。

於是他開始積極做雷射、美容保養、按摩和買新衣服，盡可能恢復原本的生活模式，然後向 Vi 證明自己還是以前那個 Tongrak 沒變。

今天晚上他要出去狩獵。

他上次和另一個男人調情是什麼時候？今天晚上。

他上次外出狩獵是什麼時候？今天晚上。

他上次和另一個男人上床是什麼時候？就是今天晚上。

一旦確定計畫後，他抓起了自己最喜歡的褲子，換上了酒紅色襯衫，讓他的皮膚看起來更白亮，戴上彰顯修長脖頸的配飾，再噴了香水及穿上訂製皮鞋。

就在他準備踏出家門時，高大的男人走到了他面前。

Tongrak 必須壓抑內心的衝動，讓自己不要將臉靠到他肩上，汲取他身上的迷人氣味。

今天晚上是改變一切的時候。

「今晚我會晚點回來，你先睡吧。」Tongrak 沒有回答問題，接著推了 Mahasamut 一把，讓他後退一步。

「你是要去找 Vi 嗎？」Mahasamut 眼明手快地抓住了他的手腕。

一聽對方提到讓自己煩惱的始作俑者，他忍不住對天一翻白眼。

「你知道的，我可不只 Vi 這個朋友。」

「是 Connor 先生嗎？」

「不是。」

「Khom ？」

「不是！」

Tongrak 簡直想打自己一巴掌，他居然覺得眼前這個面露凶狠的人好性感。

他的腦子肯定有問題。

「我要出去走走。」Tongrak 再度推了他一記。如果他繼續待在這裡可能會改變主意，一想到要在酒吧裡人擠人，被陌生人觸摸就已經讓他夠沒勁了，感覺打開一瓶紅酒搭起司，偎在男人溫暖懷裡看 Netflix 的主意更好。

「你要去哪裡走走？」

「不關你的事。」

Mahasamut 不想輕易放過他，讓 Tongrak 忍不住眉頭輕皺。

「那你要告訴我去哪裡。」

「協議書上有說你無權干涉我的事。」

「……」

他不想老實交待，選擇提起那份協議，而男人站在原地，幽黑深邃的眼神直盯著 Tongrak，看起來就像個隨時準備衝上來的獵人。

奇怪的是，此時的 Tongrak 卻渴望成為被捕的獵物。

但今天晚上不行。

「我和誰出去是我的自由。」

Tongrak 才剛走到門口就突然尖叫出聲，因為對方一把將他扛了起來往反方向走。

「該死的！Mahasamut 放開我！你這個瘋子，哦，我頭都暈了，快放開我！」他試著奮力掙脫，但又緊緊抓住男人的襯衫，擔心如果不小心摔下來肯定是臉先著地。

男人像扔娃娃般將 Tongrak 扔到床上，用膝蓋抵住他的大腿不讓他脫逃，接著將他的雙手按到頭頂，用圍裙將他的手腕綁在床柱上。

Tongrak 瞪大了眼，此時唯一能做的只有躺在床上一動也不動。

「Mahasamut 你瘋了嗎？！」好一會兒他才找回自己的聲音。

這該死的男人居然把他綁起來了？

男人俯身一笑，眼神看起來像是準備撕裂他。

「協議裡並沒有禁止我上你，除非你不再想著要去找別的男人，對吧？」

「！！！」Tongrak 眨了眨眼，「啊？你說什麼？」

「你肯定會很喜歡，然後放棄要出去走走的計畫。」

「你……為什麼你敢這麼肯定？」Tongrak 大聲駁斥，試圖掙脫自己的手，卻被男人一把抓住。

「要不要讓我們來打賭看看……你到底會不會沉淪哪。」Mahasamut 湊近了他的臉。

Tongrak 咬著下唇，臉上布滿紅雲，感到心跳加速又有些興奮，下半身開始躁動。

「你這裡看起來想要接受挑戰。」Mahasamut 用膝蓋抵住 Tongrak 的下半身。

「你這自戀的男人！」

「然後？」

「別再說了，趕快動手！」

看來 Vi 沒錯，他對 Mahasamut 是如此著迷，著迷到可以交出一切。

「你可以不要再笑了嗎？」

「為什麼？」

「看起來太可怕了。」

現在是放學時間，Meena 忍不住吐槽起這個來接自己的高大男人。

雖然 Mahasamut 外表不錯，但他的笑容此時看起來很

詭異，而且他從剛才就一直笑個不停，讓她忍不住全身起雞皮疙瘩。

「別笑了，Mut 舅舅！」

Mahasamut 忍不住摸了摸下巴，臉上笑容依舊燦爛。

「誰讓妳舅舅這麼可愛。」

「沒辦法，我舅舅天生就很可愛。」Meena 對於自家舅舅的喜愛可是沒人能比的。

Mahasamut 看著她，忍不住輕笑出聲。

「你那表情什麼意思？想說什麼就說啊。」

「妳見到的可愛和我見到的不同。」

「不可能，我認識他比你還久。」

「但妳看他的眼神，永遠不會和我一樣，孩子。」

少女抬起頭，臉上寫滿不服，正當她雙手插腰準備回嘴時，卻被一道男聲給打斷了。

只見一名中年男子朝他們走了過來，那人臉上帶著溫和的笑容，看起來就像個和藹的長輩。

Meena 卻立刻抓住了 Mahasamut 的手臂，躲到他的身後尋求保護。

Mahasamut 看到女孩的表情，立刻猜到了對方的身分。

「他是外公，Mut 舅舅，那是我外公。」

雖然那人看起來有點年紀，但能在他身上找到熟悉的面目，而那雙一樣的蜜色瞳孔裡的眼神卻讓 Mahasamut 有種莫名的厭惡，直覺告訴自己，這個人很危險。

「我親愛的外孫女，妳好嗎？好久不見。」

「……」

Meena 想要反駁自己不是他親愛的外孫女，但她選擇保持沉默，緊緊抓住 Mahasamut 的手臂。

「妳已經長這麼大了啊？我們在妳很小的時候見過面……不過妳可能不記得外公了。」Jak 頓了頓，雙眼盯著 Meena，「哦不，如果妳沒有逃走，我們早就見面了。」

聞言 Meena 明顯一愣，她本來一直確信對方沒看到自己，因為她跑得夠快可以躲過他，現在才發現不是她逃得開，而是他放了自己一馬。

「多虧了妳，才能把我的事告訴妳媽媽和舅舅，我才能和自己的小孩聊一聊。」

Meena 緊咬雙唇，外公是故意讓自己告訴家長的，他很清楚自己會有什麼反應，她只是他的一枚棋子。

不要靠近他，因為他們永遠不知道該怎麼對付他。

Meena 躲在 Mahasamut 身後，因為恐懼而微微發抖。她不知道母親和舅舅是怎麼處理這件事的，但這一切的罪魁禍首是她，是她把外公的事告訴了他們。

在一旁觀察的 Mahasamut 遮住了 Meena，他的動作讓 Jak 和他對視，後者露出一抹笑意，好奇地開口：

「抱歉，我太久沒看到外孫女，所以忘記禮貌了。」Jak 站直身體迎向男人，「我是 Jak，也是 Khongkhwan 和 Tongrak 的父親、Meena 的外公，你是……」

「我是 Mahasamut。」

「我們終於見面了。」

Jak 其實一直在關注 Tongrak。

「你認識我嗎？」Mahasamut 觀察著對方的表情，語氣平靜地反問。

Jak 因為對方謹慎的態度而輕笑，緩緩地點頭。

「如果讓你感覺不舒服，我很抱歉。但身為一個慈祥的父親，我很擔心孩子們，尤其是突然搬進 Tongrak 家裡的陌生人。」

他的話讓男人緊皺了眉頭。

要是 Tongrak 知道自己始終被父親監視著，一定會害怕到渾身顫抖，一思及此，Mahasamut 便露出一抹冷笑，用愉悅的語氣問：

「那麼，這位『慈祥的父親』今天是來找我的嗎？還是來見外孫女的？不然你就不會在這裡等到放學了。」

Mahasamut 往前一站，雖然高大的身影足以帶給人壓迫感，但 Jak 臉上始終掛著笑意。

「你真是機靈。是的，身為一個父親，我有件事想問你。」

就在這時 Meena 抓住了 Mahasamut 的襯衫，搖搖頭示意不可以按照他說的去做，但 Mahasamut 只是將手放在她頭上安撫著。

「Meena 似乎非常信任妳，身為她的外公，我看著覺得

有點難過。」

「Tongrak 也很相信我，比相信你要來得多。」Mahasamut
立刻反擊。

「我知道，所以只能來問你。」

兩人四目相接，形成對峙之勢。

儘管後頭有隻小手一直拉著他的衣服，但 Mahasamut
想知道這位「慈祥的父親」要玩什麼花樣，自己不像這個
混帳，他會挺身保護家裡的弱者，只是首先得知道對方想
幹什麼。

傍晚時分，夕陽灑進屋內，將奶油色的沙發染成了金
黃，Mahasamut 推開了大門，臉上表情凝重，回想起剛才
發生的事，仍然有些憤怒。

因為他陷入自己的沉思，導致沒注意到迎面而來的人。

幸好他反應夠快，立刻接住了那個撲向自己的人。
Tongrak 雙腿環上了他的腰，雙手勾住他的脖子，笑笑地歡
叫：「Mahasamut！」

「是的？」Mahasamut 面露不解，但雙手仍穩穩抱住了
他，鼻間聞到對方身上的香氣，不知道他為什麼拖到現在
才洗澡。

懷裡的人笑容滿面，眼底閃爍興奮。

「我寫完稿子了！」Tongrak 開心宣布，等待對方的反應。

「……」

「……」

Mahasamut 承認他腦裡仍然滿是 Tongrak 的父親與自己的對話，實在不知道該有什麼反應，但 Tongrak 臉上滿是期待，導致他不得不迅速回應。

「很厲害！」

「就這樣？」Tongrak 看起來有些失望。

Mahasamut 不知所措，這是他第一次遇上 Tongrak 完成稿子的情形，不曉得該做什麼比較好。

「你真的很棒，還有比你更優秀的作家嗎？」

「……」

Tongrak 的反應已經讓 Mahasamut 意識到這個答案也是錯的。

男人開始汗流浹背，不知道是因為承受的重量還是對方失望的眼神。

「比我優秀的作家很多，而且我只寫完了主線故事，還沒開始寫特別篇。」

Tongrak 蜜色的雙眼仍然充滿期待，雙手緊環住男人的脖子，朱唇微張似乎想要更多，Mahasamut 一時之間想不出更好的回應，但若是應付日以繼夜都在工作的疲憊，他想到了其他的說詞。

「你累了嗎？」

不是讚美，也不是奉承，而是關心。

「你很累嗎？」

這就是他所能想到的。

就在他預期對方可能會再度露出失望表情時，Tongrak 卻羞紅了雙頰，嘴角勾起一抹弧度，摟緊男人的脖子，依偎在他寬闊的肩上。

「我很累、很累啊，Mahasamut。」

男人的雙臂收緊了抱住他的力道，看到 Tongrak 終於恢復正常後，鬆了一口氣。

「你知道嗎？當你廢寢忘食時，我很擔心。」

「嗯，我知道。」

「那你現在應該要先休息。」

「嗯。」

他沒有反對男人的意見，接著抬起頭猶豫了一會，緩緩開口問：「你要陪我一起休息嗎？」

Tongrak 眼神裡有著期待，這不僅是 Mahasamut 的想像，微張的朱唇更是驗證了男人的想法。

Mahasamut 俯身用鼻尖碰觸懷中人兒的鼻尖，作家原本環住他後頸的雙手此時插入了男人濃密的頭髮裡，誘人的嘴唇微張，飛快在他唇上落下一吻，接著立刻分開。

Mahasamut 再也受不了對方欲擒故縱的誘惑，直接吻住了 Tongrak 的唇，滾燙的舌尖滑過對方炙熱的口腔，挑

逗似地摩擦著。

高漲的炙熱讓 Mahasamut 往前走了幾步，將 Tongrak 的背抵住了牆，雖然發出了輕碰聲，但他們誰都不在意。

唾液交換的聲音淹沒了一切，舌頭交纏在一起，兩人身體都開始發燙，熱吻仍然持續。

「啊！」

Mahasamut 的大掌伸向內褲後方緊密閉合的花瓣，稍微輕輕按壓就讓 Tongrak 忍不住呻吟出聲。

「來吧。」作家在他耳邊低語。

「這裡？」

「嗯，就在這裡。」Tongrak 輕咬了他的耳朵，點燃原始的本能。

他的背再度被推到牆壁上，兩人四目相交，唇瓣又再度黏住，被點燃的激情越燃越旺，當 Tongrak 不斷哀求時，Mahasamut 自然也不會輕易放過他。

他已經準備好要永遠疼愛 Tongrak 了。

儘管那個卑鄙的男人在下午時對他說：

「和 Rak 分手吧。」

但此時 Mahasamut 不去想太多，他只想全心全意放在 Tongrak 身上。

Episode 26

以父親之名的混帳

　　夜幕低垂，星光被城市的人造光掩蓋，Mahasamut 與 Tongrak 相偎在沙發上，一人因為完成工作已經疲憊地睡得深沉，另一人則盯著天花板陷入沉思，下午發生的事他仍然記得一清二楚。

　　與 Jak……懷裡人的父親的對話。

　　銳利的雙眼憐愛地看著 Tongrak 的側臉，忍不住伸手輕撫他柔軟的臉頰。

　　他這輩子從來沒看過如此美麗的人。

　　然而他卻和自己一樣，背負著過往沉重的創傷。

　　Mahasamut 握緊拳頭，此時此刻，他很想狠狠打那個混帳男人一拳。

　　稍早之前，私立學校附近的咖啡廳裡，Mahasamut 面前坐了一個面帶笑意、喝著咖啡的中年男子，而堅持要跟過來的 Meena 坐在一旁，手上還拿著一杯冰淇淋。

　　Jak 放下了咖啡杯，隨意地開口：

　　「怎麼樣？」

　　「怎麼樣？我們以前認識嗎？」Mahasamut 再也不想裝作友善的樣子，他不是個擅長偽裝的人，無法對傷害自己重要的人的混帳還保持客套。

　　Jak 臉上仍帶著笑意，絲毫不在乎對方的不友善。

「和 Rak 在一起生活怎麼樣？」

「……」

男人臉上的表情讓 Jak 輕笑出聲。

「我知道你從島上搬來和 Rak 住一起，我是他的父親，關心兒子的生活是很正常的事，尤其是他們正在來往的人……或者是帶回來一起住的人。」

Mahasamut 表情波瀾不興，儘管對方在句末強調「帶回來一起住的人」，表現出一副關愛兒子的慈父樣。在一旁的女孩張開了嘴想說些什麼，Mahasamut 仍然沒有開口。

「我不知道你有沒有聽說過我的事，但從 Meena 的表情看來，應該是聽聞了不少。」

當 Jak 將視線轉向 Menna 時，她立刻將目光移到手上的冰淇淋，瞬間覺得自己像是被看透了。她不喜歡這樣的感覺。

中年男子再度轉過頭，對上 Mahasamut 的視線。

「我承認過去對 Rak、Khwan 及孩子的母親做過不少錯事，稱不上是個合格的父親，一直到今天我都相當遺憾。」Jak 露出了苦笑，「我真的很想看到這兩個孩子長大成人，陪伴他們每一次重要決定，鼓勵他們……」

「我想你最好直接告訴我，你想從我這裡得到什麼。」

Mahasamut 開口打斷了他，雙手環胸，壓根不在意對方的自艾自憐。他早就知道發生過什麼事，要是對方真的想道歉，應該去找該被道歉的人，而不是在自己面前假惺

惺懺悔，況且他也不喜歡拐彎抹角。

這個人難道不能直接一點嗎？

「跟你來這裡已經夠浪費時間了，要是你還沒想清楚，那就改天再談。」

正當 Mahasamut 起身時，Jak 開口了。

「我想要你和 Rak 分手。」

男人轉過身看向那個提出條件的人。只見 Jak 無懼他眼神傳出的寒意，站起身重複了一次剛才說過的話。

「和 Rak 分手吧。」

「我為什麼要照你的話做？」

「我已經告訴你，我想修正過去的錯誤。」

「所以你現在是想扮演好父親了嗎？」

「是的，至少可以試著和 Rak 修復父子關係。」

「那與我和 Tongrak 的事沒有關係。」

「是的，確實如此，」Jak 看著他，眼神憐憫，「因為你明知道你不適合 Rak。」

Mahasamut 沉默了。他緊握拳頭，對方的話深深打擊了他。

就算 Jak 沒有指出，男人自己也清楚這點。打從在島上他就知道，跟 Tongrak 來到曼谷是接近作家的唯一機會，他心知肚明兩人身處在不同世界，但從沒想過會在 Jak……這個最不配批評的人口中聽到這些話。

Jak 給 Tongrak 的傷害遠比其他人來得深。

兩人對視，一人眼神冷靜，另一人則明顯閃著怒火。

「我想回家了，Mut 舅舅，我們回家吧。」

當 Mahasamut 準備揚起拳頭時，Meena 抓住了他的手臂，她的顫抖讓男人恢復了理智。

如果不是 Meena，他肯定會讓這件事變得更複雜。

「你管好你自己吧。Meena，我們回家。」Mahasamut 輕扶 Meena，此時的她渾身輕顫、眼神惶恐，他知道自己不能讓女孩更加害怕。

如果他真的這麼做了，等於中了 Jak 的下懷。

「我以前也和你有過相同的處境，如果你不想傷害 Tongrak，記住我說的話。」Jak 在他身後說。

「……」

Mahasamut 沒有回答，只是沉著臉推著 Meena 走出咖啡廳。

「Meena 求你了，Mut 舅舅，不要把這件事告訴我舅舅。」

Mahasamut 躺在沙發上時，腦海中迴盪著女孩的懇求，他緊握拳頭，閉上了雙眼。

原本活潑的 Meena 在遇到了她外公後變得懦弱無助，當他們離開咖啡廳後，女孩便要求自己不要把剛才發生的

事告訴她的舅舅。

　　她認為這一切都是她的錯，如果不是她將看到外公的事告訴舅舅和媽媽的話，就不會導致今天的困境。她以為自己應付得來，逃跑速度很快，但實際上並非如此，自己只是對方利用的棋子而已。

　　Mahasamut 握住了她的手臂，發現她臉上布滿淚痕。

　　「沒關係，這不是妳的錯，千錯萬錯都是那個混……都是妳外公，我們只是不知道他做了什麼。」他差點在小朋友面前飆髒話。

　　「那……可以不要把今天的事情告訴舅舅嗎？我們可以像是什麼事都沒發生過嗎？Meena 不想看到舅舅難過，而且……Mut 舅舅不能照他說的做，不能離開 Rak 舅舅……」

　　「我一輩子都不會離開他。」

　　Mahasamut 語氣中的堅定讓 Meena 破涕為笑，輕搖著他的手臂。

　　「如果 Mut 舅舅不照外公的話去做的話，我們可以裝作什麼都沒發生過嗎？我不會說出去的，Mut 舅舅也別告訴舅舅和媽媽。」她不想讓家人傷心，也不想再被當成棋子，外公一定是想要自己把這件事告訴他們。

　　讓自己的外孫女害怕成這個樣子，到底算什麼長輩！

　　雖然 Mahasamut 要女孩冷靜下來，內心的憤怒卻沒有減少，光是簡單的對話過，他就知道為什麼 Tongrak 如此不喜歡自己的父親。

那位父親竟然冷血地想要操弄孩子的感情。

一思及此，他收緊了手臂，抱住懷中的人。

「我會保護你的。」

他不知道過去那男人是怎麼操控這家子的人，但不管是什麼手段都對他不管用。

他會以牙還牙，以眼還眼！

「Rak 哥在截止日前完成了原稿。」

「真的！我還一再確認。他總是要被人一催再催，有時出書時程都排出來了才交出原稿，編輯幾乎都要狂趕工才能順利出書，這次居然提早交了。」

出版社會議室裡，工作人員對於 Tongrak 的工作效率感到難以置信，而作家本人則雙手環胸坐在一旁，大聲宣布：「誰說完成了？特別篇還沒寫呢。」

眾人剛才的興奮在他的話落下後瞬間消失。

「在印刷前完成應該沒問題吧？」

這不帶保證的話讓編輯 Sao 忍不住搖了搖頭。

「都回去上班吧，要是再講下去，他可能就不寫特別篇了。」

她的話讓所有人都閉上嘴，魚貫地走出了會議室，只留下 Tongrak 和一直很照顧他的 Sao。

「看來我給大家添麻煩了。」Tongrak 忍不住說。

「我已經習慣囉。」Sao 也直白回答。

「Sao 姐不要回得這麼直接。」

他們兩人共事了十年。這十年來 Tongrak 抱怨、拖稿或不想工作的樣子，Sao 都見識過，她可能是少數見得到 Tongrak 本性的人。

「什麼風把你吹來的呢？交稿之後不是就會去酒吧了？」

「怎麼把我說的像個酒鬼。」

「難道不是嗎？」

Tongrak 聳聳肩懶得否認，因為他家裡的人勸他要戒酒和零食，於是作家轉過身，拿起一大袋東西放在桌上。

「我帶了些零食來表達歉意，給很多人造成了麻煩。」

「……」

Sao 看了他一眼，露出驚訝表情。

不是 Tongrak 沒送過禮物，每逢特殊節慶他都會準備禮物，但以往都是 Mook 帶來的，像現在這樣親自送來還是頭一遭。

「你生病了嗎，Tongrak ？」

Tongrak 輕笑出聲，這確實是他沒做過的事，難怪 Sao 會有這樣的反應。

「我沒事好嗎，只是想學一下家裡那個人為周圍的人做些什麼。」

那個跟著他回曼谷的 Mahasamut 即使人不在島上，仍然一直在為島上的居民著想。他在資源回收方面盡了相當大的努力，還想在即將到來的旺季利用回收品加工進行販售，如果村民們能齊心做到，那將會是一個活絡當地商機的好方法。這讓 Tongrak 不由得反思，自己為周圍的人做過些什麼？

他的社交圈看似廣闊，但其實很狹窄。

表面上他像是認識不少知名人士，但真正親密的朋友只有幾個，而 Sao 是他一直很尊敬的人。

既然稿子已經交出，儘管還差小部分尚未完成，但他也想過來看看。

「你是指和你一起參加書展的那個人？」Tongrak 以笑代答，Sao 也識相地不再問下去，「那 Mook 呢？怎麼沒看到她的人。」

「她請了一星期假。」

「那個身強體壯、號稱從不請假的人居然請了一星期？」就連 Sao 都覺得不對勁，難道 Tongrak 沒有感覺？

「她今早打了一通電話過來請假，然後人就消失了。」Tongrak 聳聳肩，再度拿出手機看了一眼，上頭依舊沒有對方傳來的訊息，證實 Mook 一反常態保持沉默。

「好吧，你來了也好，看看這個封面有沒有需要修改的地方。」

Sao 提到工作的事，Tongrak 便將手機放在一旁，注意

力轉回面前的事務上。

雖然他也很想知道 Mook 到底去了哪裡。

Tongrak 在出版社待了很長一段時間討論工作與簽書，他的秘書卻始終沒有任何訊息，一般情況下如果對方知道自己在工作就不會消失得無影無蹤，除非自己讓她去做別的事。

連打電話給她都不接。

「奇怪。」他忍不住咕噥，盯著沒有訊息的手機螢幕，走出了出版社。

當他準備再撥電話時，一道男聲傳了過來。

「Rak。」

Tongrak 整個人一僵，手中的手機掉落在地，雙眼浮現恐懼。他心跳加速、緊張不已，從來沒想過自己會再面對這個帶給他深深恐懼的人……他父親。

「滾開！」

過往回憶此時如同走馬燈般湧現，空洞的目光、房間裡咆哮的男聲、砸在他頭上的酒瓶，還有從頭上流下來的溫熱血液。

「Rak。」

他下意識閃過對方朝自己伸來的手，眨了眨眼試圖回

復心神，雙手卻開始顫抖，心跳也越來越快，但他不能在這人面前展現出軟弱的一面。

「好久不見了。」Tongrak 努力讓自己平靜下來。

「確實，很久沒見到面了。」

「你想要什麼？」

多年未見的父子沒有上演痛哭流涕、緊緊相擁的戲碼。Tongrak 的語氣平靜、聲音清楚，表示他已經準備滿足對方的要求，好快點逃離目前的困境。

他只想立刻回家，去依靠那個高大的男人。

一想到 Mahasamut 和他的笑容，Tongrak 就感覺內心平靜了一些。

只要付錢就能結束，就和往常一樣。

「為什麼會覺得爸爸想從你這裡得到些什麼？」

「因為你一直如此。」Tongrak 沒有遲疑地開口。

Jak 嘆了口氣，用悲傷的眼神看向他。

「那是你給我的，我什麼時候跟你要過錢？我只是想看看你，想和外孫女說說話……」

「別去惹 Meena ！」

Tongrak 一想到眼前的男人會去招惹外甥女就不受控制地感到害怕，音量也變得大聲。

「為什麼呢？她是我外孫女。」

「不要去招惹 Meena，我求你了，不管你想要什麼我都可以給你，但是不要靠近她……」

「那你就和 Mahasamut 分手吧。」

他的話一落下，Tongrak 彷彿聽到了世界瓦解成碎片的聲音，感到一片茫然和困惑，不知道為什麼對方會突然提到 Mahasamut，這一切明明與那個人無關。

此時的他，有如被一隻無形的手用力揪緊了心。

這個男人想對 Meena 做什麼？又想對 Mahasamut 做什麼？

「別……別碰他……」

眼前的景象變得一片模糊，Tongrak 意識到那是自己的眼淚，聲音也變得不像自己。

對方無視 Tongrak 的懇求，緩緩地朝他走了過來，將手放在兒子顫抖的肩上。

「你是要選 Meena 還是 Mahasamut？不是說過可以把一切都給我嗎？」

「求你了爸爸，不要招惹 Meena 也不要招惹 Mahasamut！求求你了！」

「是爸爸把你養成這麼貪心的嗎？Tongrak 必須選擇其中一個，就像你選擇和媽媽一起生活，與爸爸斷絕關係那樣。」

他無法選擇。一個是他的親外甥女，另一個是認識不到三個月的男人，本來應該很快就能做出決定，只要讓 Mahasamut 收拾行李、離開曼谷，眼前的鬧劇就能落幕。

「如果你選擇不了，要不要讓我幫你？就像當初那位醫

生那樣。」

當他父親提起那個在很久以前就過世的人時，Tongrak
立刻恐懼地甩開他的手，臉上滿是淚痕，模糊地看著面前
這個戴著慈祥笑容的惡魔。

腦海中浮現的葬禮畫面讓 Tongrak 立刻下了決定。

他轉過身迅速離開那裡。

他必須快點回家，確保他在意的人還在呼吸。

Mahasamut。

Tongrak 一邊掛念著對方的安危，一路踩著車子油門疾
速奔馳。

「你為什麼不接電話，Mahasamut？」

從出版社沿路到他的公寓，Tongrak 都一直試圖想聯
絡上 Mahasamut，但對方的手機都沒有回應。光是想到
Mahasamut 可能會發生什麼事，他就緊張到快要吐了，於
是在開車回到家後，便毫不猶豫地衝向電梯，用力按下按
鍵。

沒事的，不會有事的。

Tongrak 緊緊抓住自己的手，感到全身都在顫抖，原本
只是幾秒搭電梯的時間，此時有如過了一世紀。

電梯門一打開，Tongrak 便立刻衝向自己的公寓，飛快

按下密碼。

　　他希望打開門後就會看到那抹高大身影對他微笑，然而就在他用力打開了門、再嚇著坐在裡頭的好友時，Mahasamut 卻不在他的視線範圍內！

　　「Mahasamut！」

　　「等等，Rak，你冷靜一點，先聽我說。」

　　「Mahasmut 人在哪裡？ Vi，他在哪裡？」Tongrak 抓住了好友的肩膀，焦急萬分地開口，「我遇到我爸了，他會殺了 Mahasamut！要是他出了什麼事我該怎麼辦？我爸真的會像殺了醫生一樣殺了他！」

　　「不，Rak，沒人會死的。」

　　「但是，我爸他……」

　　Vi 用力抱住了他，就像每次看到對方快要哭出來時所做的。現在的 Tongrak 很脆弱，她必須讓他堅強起來，這樣他才能面對發生在 Mahasamut 身上的事。

　　「沒事的，你冷靜點！我在這裡！」

　　「Vi……Mahasamut 他……我該怎麼辦？我爸一定會對他做什麼……」他緊抓著 Vi 顫抖地問。

　　「Rak，聽我說，你爸爸今天派人來了……」

　　Tongrak 聞言瞪大了眼，推開了她。

　　「Mahasamut 人在哪裡？妳告訴我，他人在哪裡？！」Tongrak 忍不住大吼出聲。

　　就在他差點沒搖暈 Vi 的同時，男人的聲音傳了過來。

「我在這裡，Tongrak。」

Tongrak 渾身一震，看向聲音來源。只見男人臉上有著明顯的瘀傷，身體像是在地上打滾過一般髒污，手腕上還纏著白色緞帶。

Tongrak 一時間半刻像是啞了那般，臉色瞬間慘白，表情極度痛苦。

「這就是我想告訴你的……」Vi 補充。

Tongrak 的淚水斷線般滑落，嚇了另外兩個人一跳，Mahasamut 毫不猶豫朝 Tongrak 走過去抱住了他，讓他感受自己的溫度，低聲安慰著失語的人。

「我很好，不要擔心，你看，我沒事。」

Tongrak 再也無法控制地癱軟在 Mahasamut 懷裡，接著痛哭失聲。

Mahasamut 沒有說話，只能緊緊抱著那個劇烈顫抖的脆弱男人。

Episode 27

神經緊張

「妳今天晚上想吃點什麼嗎？」

「我不餓。」

「妳想在回家之前繞去別的地方嗎？」

「不要。」

「妳這個小屁孩，今天怎麼回事啊？」

幾天前，Mahasamut 第一次遇到了 Tongrak 的親生父親。今天他仍然一如既往在下午三點左右出來接 Meena，她之前經常要求吃零食或買東西。

此刻這個無所不知的孩子有點可怕。

今天的 Meena 臉色陰暗，臉上寫滿了心事。

Mahasamut 輕拍了拍她的頭，「如果妳這麼擔心的話，為什麼不跟媽媽或舅舅說呢？」

「Mut 舅舅已經告訴他們了嗎？」Meena 猛一個轉頭，面露驚恐。

「沒有，我會信守諾言。」他笑笑地回。

Meena 鬆了一口氣，接著又垂頭喪氣。

「我從來沒對媽媽撒過謊，但這次又不敢把事情告訴她。媽媽昨天問我怎麼了時，我只能跟她說我頭痛。Mut 舅舅，我這麼做對了嗎？」

小女孩因為不想讓家人擔心，只能選擇做從來沒做過的事。

「為什麼 Meena 不告訴媽媽或舅舅在擔心什麼？」

「一開始我以為我做對了，舅舅會知道要怎麼做，但我

現在知道那個人只是想利用我而已，我不想再被他當成工具利用了。」

Meena 的語氣很無助，她找不到正確的答案。

Mahasamut 知道此時的她不需要無謂的安慰，他認為女孩只想要一個答案。因為她對 Tongrak 來說很重要，也意味著對自己有同等的重要性。

「那麼，妳覺得妳該怎麼辦？」

Meena 沉默了一會，小聲地開口：

「……告訴 Rak 舅舅。」

「那就告訴他吧。」

「但是……」

Mahasamut 揉了揉她的頭。

「妳認為妳舅舅會想讓妳這麼煩惱嗎？」

「不會。」

「他希望妳跟其他孩子一樣快樂，如同妳也希望他幸福一樣。如果被他知道妳煩惱的來源是因為他，妳覺得他會不會責怪自己？」

「確實。」

Mahasamut 露出一抹笑意。

「如果妳舅舅難過的話，我們只需要安慰、陪在他身邊就夠了。再說了，如果 Menna 做不到，舅舅我可以幫妳。」

「你只是想乘虛而入，對吧？」

「這個叫發揮優勢。妳舅舅來討抱時真的很可愛，那樣的表情誰能抗拒呢？」

Meena 用審判的眼光看了看他，接著露出了笑容。

「那麼，妳決定了嗎？」

「嗯，我會告訴舅舅跟媽媽，Meena 不在意外公怎麼想，我們有這麼多人，一定不會輸的。」

男人大笑出聲，比起心事重重的模樣，自己更喜歡看到女孩露出堅定表情的樣子；如同 Tongrak，他的微笑是如此迷人，完全不適合獨自一人煩惱。

至於那個父親，自己打從一開始就不怕他。

有什麼好怕的？他就只是個愛捉弄孩子的糟老頭，像他那樣的人就應該要被揍一頓。

「那我們今天就去 Tongrak 舅舅家吧，你把車停在哪裡了？」

「對不起，我今天搭了計程車，Tognrak 開了車去出版社。」

「所以我們要去大街上叫車嗎？」

「是的，因為妳的學校藏得太深了。」

Mahasamut 的玩笑讓 Meena 皺了皺鼻子，但不一會她就不再理會。

「Let's go！」

看著 Meena 已經跑在自己前面，男人笑著跟了上去。

他們只需要穿過小巷再走到主幹道上攔車，接著再

回 Tongrak 家將一切都坦白，或許那位作家會生氣，但 Mahasamut 覺得讓他生氣這個選項可能還比較好一點。

儘管內心深處仍然擔心他是否會討論分手的問題。

Mahasamut 其實內心早就有了決定，不管怎麼樣，他都不要這樣的事發生。

他對兩人的關係打從一開始就不是一時興起，Tongrak 對他來說，意義遠不止於此。

「Meena。」男人突然抓住了她的手臂，銳利的雙眼往後瞥看，發現他們離開學校後就被一個男人跟蹤，而且前方還有另一個男人，目標明顯是他們兩個。

「什麼事，Mut 舅舅？」Meena 不解地看向他。

「躲在我身後。」男人嚴肅地說。

「什麼？」

Meena 的話才剛落下就被他一把拉到了背後，女孩尖叫一聲，注意到兩個男人朝他們走過來。

「我們好像沒有什麼事需要你們的協助。」Mahasamut 推著 Meena 一起往後退。

其中一個男人露出凶狠的笑容，沒有停下腳步，女孩開始感到害怕。

「Mut 舅舅……」

「如果我叫妳跑，妳就快跑。」他低聲地說。

「啊？」

「你沒有，但我們有。」

　　另一名男子猛地衝向了 Mahasamut，揚起拳頭往他臉上招呼了過來，Mahasamut 俐落地躲開了這個攻擊，立刻對 Meena 下令。

　　「快跑，Meena ！」

　　「什麼？」

　　「現在！」

　　雖然女孩因為太過害怕，一時之間無法反應，但隨著 Mahasamut 再次大喊，她轉身以最快的速度離開了那裡。

　　「該死的，不要讓小孩跑了！」

　　其中一人大喊一聲，準備要衝上前去，但 Mahasamut 立刻抓住了襲擊自己的男人，用力地撞向牆壁，另一個人則趁機踢了他的腹部，令 Mahasamut 瞬間倒在地上。

　　當 Mahasamut 倒地時，襲擊者馬上跨坐到他身上，往他臉頰打了一拳。

　　「別以為只有你能打！」

　　當第二拳準備揮下時，Mahasamut 抓住了他的拳頭，全力扭轉他的手腕，長腿狠踹了他的腹部，襲擊者仰倒在地上，臉部再挨了 Mahasamut 一記重拳。

　　一開始被攻擊的那人此時站穩了腳跟，拉住 Mahasamut 的衣領，迫使 Mahasamut 迅速脫掉外套，用力踢了對方一腳。

　　這一腳的力量讓對方再度狠狠地撞向牆壁，迎上前去的 Mahasamut 眼中充滿厲色。

　　他們以為自己很好欺負嗎？島上的居民都知道不能跟

他打架。

「該死的！」另一個大喊，亮出了小刀。

此時的 Mahasamut 處於極度危險的困境。

刀尖往他的腹部刺了過來，Mahasamut 躲開了這個攻擊，但當小刀第三次揮來時，他已來不及閃躲。刀鋒劃過了他的手掌，疼痛感立刻襲來，他咬緊牙關用另一隻手抓住持刀者的手腕，用力一扭，對方吃痛鬆手，讓刀子掉在地上。

Mahasamut 將刀子踢開，耳邊聽到痛苦的哀嚎。

他承認，自己的血液已經沸騰。

「你真的想招惹我嗎？」

他用膝蓋想就知道對方是誰派來的。

那個混帳！不只對孩子冷血，居然還讓外孫女目睹這種場面。

「回去告訴你老闆，想殺我就自己來！」

Mahasamut 雙眼布滿血絲，看著倒在地上、眼神充滿恐懼的襲擊者，咬牙切齒地撂下狠話。

要是再見到那個人，自己絕對不會再手下留情！

「咳……咳……該死的！」

Mahasamut 喘著氣靠在牆上，周圍有兩個躺在地上的

暴徒。他握緊了流血的手掌,目光注意到剛才因為搏鬥而掉落的手機。

盡管身上的傷處很痛,但比起摔斷腿及被打斷肋骨,這種程度根本不算什麼。

他必須打電話給 Meena。

Mahasamut 咬緊牙關,一想到 Tongrak 如果知道外甥女遭遇危險會有多擔心,他就強迫自己往手機方向移動。

「那裡,在那裡,Vi 阿姨!」

就在這個時候,女孩的聲音傳了過來,Mahasamut 下意識地抬起頭。

他承認自己很意外在這裡看到對方。

女明星在幾個男人陪同之下與 Meena 跑了過來,Vi 緊握手機,一臉震驚。

「發生什麼事了?」

「我遭到襲擊了,Vi 姐,妳看不出來嗎?」Mahasamut 勉強擠出一抹微笑。

「現在是開玩笑的時候嗎?」

「但我活下來了,不是嗎?」

「嗯……看出來了。」Vi 看了一眼躺在地上的兩個歹徒,耳邊聽到了 Meena 的驚呼。

「Mut、Mut 舅舅流血了!」

Vi 連忙回頭看了 Mahasamut 身上的血跡,迅速跪在他身邊,打電話叫救護車。

「Mut 舅舅！你不能死！」

「我不會死的，別擔心。」男人安慰著已著急到落淚的 Meena，摟住了她的肩膀柔聲說：「我真的沒事。」

「嗚……嗚！」

當眾人的目光都集中在 Mahasamut 時，沒注意到一輛機車衝了過來，那兩個原本倒在地上的人立刻翻起身、跳上了車。

Mahasamut 趕緊用身體護住了 Meena 和 Vi，但機車並沒有朝他們衝過來。

然而車輪胎卻筆直壓過了 Mahasamut 的手機，讓他的手機直接原地報廢。

該死的，他要怎麼聯絡 Tongrak？

到醫院的路上，Meena 試圖將事情經過講給 Mahasamut 聽。她在跑離巷子後，不知道是運氣還是緣分，正好看到 Vi 在附近拍戲。

跟著 Vi 來的是拍攝團隊的工作人員。

但這一切都遠不及安慰一個看到血腥場面的小女孩來得重要。

「Mut 舅舅真的沒事嗎？」

在抵達 Meena 家之前，她一直重複著同樣的問題。

在不斷安慰女孩說自己沒事後，對方才稍微釋懷一些。

「你要怎麼把這件事告訴 Rak ？」

Meena 離開後，Vi 忍不住開口問。

Mahasamut 低頭看了自己沾血的襯衫和左手的包紮傷口，嘆了口氣。

「必須說實話，這種情況下不管什麼謊言都會被戳破。」

Tongrak 不可能相信他會笨到不小心拿刀劃傷自己。

「也行，但是……」Vi 嘆了口氣，考慮到 Tongrak 看到 Mahasamut 這樣可能會有的反應，自己和 Mook 的事情反而顯得微不足道了，「Rak 可能會崩潰。」

男人直到看到對方的樣子才懂什麼叫做「崩潰」。

看著 Tongrak 像個孩子般放聲痛哭，Mahasamut 立刻意識到情況可能比自己想的還要複雜，那個混帳男人到底對兒子做了什麼事？

Mahasamut 花了好長一段時間才讓 Tongrak 平靜下來，注視著那個哭到昏睡的男人，大掌輕輕撫過他的頭髮，指腹移到了右方太陽穴上的疤痕。

這個疤痕應該在 Tongrak 內心造成了莫大的痛楚，越是想起他的痛苦，Mahasamut 就越想宰了那個罪魁禍首。

男人俯身在他額上落下一吻，走出了房間。

「Rak 還好嗎？」等在外頭的 Vi 馬上問。

「睡著了。」

「那就好。」女子將頭靠在沙發背上，看起來精疲力盡，男人則來到她身邊坐下。

「他常常這樣嗎？」

「不，我也是第一次看到，但是⋯⋯」Vi 看了一眼 Mahasamut，嘆了口氣，「幾近崩潰的發言可能算是第二次。」

「和你們說的那個人有什麼關係嗎？那個醫生？」男人不確定地問。雖然 Tongrak 當時的發言有些混亂，但他確實聽到了「醫生」這個詞。

男人可能不是 Jak 第一個想要除掉的人，他知道對方的行徑只是威脅，並不是真心要他死；當他見過 Jak 後，就感覺對方不會親自找麻煩，而殺人已經超出範圍。

「嗯，Rak 沒有跟你提過這件事嗎？」Vi 一時之間也不知道該從何說起。

當她第一次聽到時，也已經認識 Tongrak 很久了。他不會隱瞞家裡的情況，不管是父母或姊姊的事情都老實不避諱，有如一切已經成為過去，只有關於醫生的事，他一直深埋心裡，Vi 也是偶然之下才知道的。

那時她發現 Tongrak 將母親每個月寄來的零用錢全都轉給父親時非常憤怒，責怪他不該做出這樣的事。Tongrak

沉默以對她的指責，後來才告訴她小時候的遭遇，她才終於明白好友有多麼害怕他的父親。

那個男人不只拋棄了 Tongrak，還在他身邊埋下一顆定時炸彈，當他覺得兒子的人生高興的時候，便會毫不留情地按下開關。

「不，我第一次聽說。」Mahasamut 搖搖頭，Tongrak 從來沒跟他提過這件事。

房間陷入了寧靜。

Vi 還在猶豫著要不要由自己把這件事說出來，她看見 Mahasamut 深邃的眼眸裡有著堅定，對方沒有強迫她一定要說，但也沒有拒絕傾聽。

只是……她真的該說嗎？

門口按下密碼的聲音打破了沉默，兩人一起看向門口，只見 Mook 迅速地走了進來。

「Mook！」Vi 連忙起身，走向那個一直拒絕接電話的女子，然而 Mook 卻移開了視線，同時注意到不對勁。

「你發生什麼事了？」她衝向那個自己視為眼中釘的男人，審視著他身上的傷口，語氣擔憂。

「哦，這沒事，死不了。」

「那 Rak 哥呢？他也受傷了嗎？」

Mook 顯然是在擔心別人。

「妳是想表達就算我死了也沒關係，但要是 Tongrak 發生不幸，妳就會殺了我？」

「不是那樣的……那 Rak 哥呢？」Mook 連忙矢口否認，「他打電話給我，但我沒接到，等到我再回撥卻沒有辦法接通。」

因為擔心得睡不著，所以她決定前來探望情況，沒想到會見到這樣的事。

「Rak 沒事。」

Mook 聞言鬆了一口氣，掃視了面前的男人全身，面露尷尬。

「很痛嗎？」

「妳現在問這個太晚了。」Mahasamut 忍不住笑出聲，回想起第一次見面時她的戒備和不悅。

「那究竟發生什麼事了？」Mook 繼續問。

「遇上埋伏，遭受一點皮肉傷……」

男人的話還沒說完，主臥室的房門就被用力打開，Tongrak 快步跑了出來，臉色慘白。

他緊盯著 Mahasamut，看起來一副搖搖欲墜的樣子。

Mahasamut 走了過去，握住了他的手臂。

「做惡夢了嗎？」

Tongrak 快步也緊緊地回握他的手臂。

「我……」他顫抖地說不出完整的一句話。

雙眼迷濛的他瞬間分不清是夢境還是現實，緊握的手指仍然不願鬆開，Mahasamut 摟住了他，轉身看向坐在一旁的兩名女子。

「我還是陪 Tongrak 睡吧，如果妳們要離開的話，請幫忙關好門。」

Mahasamut 和 Tongrak 進房後，室內又再度陷入沉默。

「妳不問問發生什麼事了嗎？」Vi 率先開啟話題。

「……」

「Mook 還在生我的氣嗎？」

「我不會問的，明天再問 Mahasamut 就好，妳還是趕緊回家吧，明天早上不是就有拍攝工作嗎？現在已經很晚了。」Mook 強顏歡笑，將 Vi 推了出去。

「等等，那妳呢？」

「我要留在這裡。」

「不行！」Vi 立刻反對。

「為什麼不行？哦，客房現在是 Mahasamut 在睡嗎？沒關係，我可以睡在沙發上，等 Rak 哥完稿時我也經常這麼做，但妳是真的該離開了。」Mook 將她推出了公寓，面帶笑容地開口：「晚安，接下來的事情讓我來處理吧。」

Mook 不等對方回應便直接關上了門，她還沒準備好面對 Vi。

她靠在門上嘆了口氣，看著 Tongrak 的房間，眼神寫滿了擔心。

「很痛嗎？」

「不痛。」

「真的嗎？」

「真的，我為什麼要騙你？」

「但 Vi 說你被刀劃傷了。」

「被漁網割到還比較痛。」

Mahasamut 側身躺在床上，看著 Tongrak 小心翼翼地握著他的手像是怕會折斷般，以往他一定會調侃對方，但現在只是由著 Tongrak 反覆問著相同的問題。

他知道 Tongrak 真的很擔心他，在看到對方臉上的擔憂神情時，Mahasamut 內心由一開始的憤怒逐漸被軟化。

誰說 Tongrak 是個傲慢無情的人？現在的他臉上盛滿悲傷，指尖輕撫男人的手。

「都是因為我，所以我爸才會傷害你……」

「不，別這麼說，傷害我的是你爸爸，跟你沒有關係，那人是個瘋子。」Mahasamut 將他摟進懷中試著安慰。

「對不起……」

Mahasamut 不喜歡 Tongrak 表現得如此愧疚，錯不在他，他本來就不該道歉。

大掌輕拍他的背部，想讓他知道自己就在這裡，就在他身邊。

「我真的很抱歉……」Tongrak 還在道歉。

男人將他的臉壓進自己胸膛，不讓他看到自己眼裡的

不安。

　　他必須找出那個混帳到底對 Tongrak 都做了些什麼！

　　「我能和你談談嗎？」

　　這位一大早就現身的女子，身邊跟著一名紅了眼眶、看起來快要哭泣的女孩。

　　Mahasamut 立刻認出了對方的身分。

　　「我是 Khwan，Rak 的姊姊，那天你送 Meena 回來時，我們見過面。」

　　「是的，我記得。」

　　Khwan 看了眼女兒，接著又看向眼前的男人。

　　「我能和你談談……關於 Rak 的事情嗎？」

　　只要是關於 Tongrak 的事，Mahasamut 永遠不會拒絕。

Episode 28

心中的傷疤

　　豪華公寓樓下的咖啡廳裡，Mahasamut 和 Tongrak 的家人同坐一桌，女子有著和 Tongrak 不相上下的美貌，而 Meena 則坐在一旁一直盯著他的手。

　　「我都說過沒什麼了，妳是打算盯出一個洞嗎？」

　　「但是你被刀刺過去了吧？ Mut 舅舅。」

　　「沒那麼可怕，就只是劃傷流血而已。」

　　Meena 腦中浮現當時血淋淋的畫面，慶幸目睹這一切的是自己，如果是她媽媽，應該會直接暈倒。

　　「Meena 已經告訴我發生了什麼事。」

　　Khwan 插了話，Mahasamut 轉頭看向她，發現她神情有些緊張。

　　看來這件事不只影響了 Tongrak，也影響了他姊姊。

　　年輕人在內心告訴自己。

　　「Mut 舅舅，Meena 對不起……」Meena 輕聲地說著，「如果不是因為我要求保守祕密，就不會發生這樣的事。」

　　「妳應該要這麼想，不管我們說不說，他都會找人來打我。」

　　倒不是因為他怕被打，他覺得這是一個滿好的鍛鍊機會，再說那些人本來就是來鬧事的，遲早都會發生衝突。他唯一的遺憾就是那個混帳沒有親自來找他。

　　「你不害怕嗎？」

　　「不，有什麼好怕的。」Mahasamut 的聲音堅定。

　　Khwan 緊咬雙唇，雙手握拳。

「那個人實在太可怕了，我們都不知道他在想什麼。」

「沒必要知道他在想什麼，我只關心我身邊的人。」

「但你可能會受到更嚴重的傷害。」

「我已經告訴過妳，我不在乎。我能照顧好我自己。」

「……」

男人給了她一個安心的笑容，Khwan 陷入了沉默。

「我向妳保證，我不怕妳父親。因為妳父親沒什麼值得害怕的地方。」

Khwan 面露震驚地看著他，可能沒想到會聽到這樣的一番話。

Mahasamut 嘴角勾起一抹弧度，眼底散發強烈自信，讓 Khwan 明白了為什麼這個人會吸引自己的弟弟。男人身上散發著堅不可催的氣息，像是不管什麼事都無法動搖他，若發生了什麼事，他也會毫不猶豫地挺身保護周遭的人。

「你喜歡 Rak，對吧？」尤其是她的弟弟。

「我愛他。」

Mahasamut 用再堅定不過的口吻回答，眼神裡也透露出決心。

「我沒想過會在別人面前承認這樣的事，不過這也挺好的，剛好可以讓你們知道我是認真的。」老實說，他早就察覺這樣的感情了，只是還沒機會向那個人告白。

而且他不知道對方會不會被自己的告白嚇跑。

Khwan 看著 Mahasamut，眼眶盈滿淚水。

「媽媽、媽媽妳哭了嗎？」Meena 震驚地問。

「我真的很高興。」她露出一抹微笑，很高興弟弟終於找到了幸福。

她眨了眨眼睛不讓淚水落下，在 Meena 面前，她必須堅強。

「我想讓你了解關於醫生叔叔的故事。」

Khwan 一聽到 Mahasamut 受傷就聯想到當初父親對付醫生的時候，當弟弟知道敬愛的醫生叔叔死掉之後有多傷心，他是那麼難過且自責，並將所有錯全歸到自己身上。

如果這個男人對 Tongrak 很重要的話，她有必要盡到提醒的責任，Khwan 不想再看到弟弟難過的樣子。

因為那個男人……他們的父親……很擅長傷害他們。

「Mahasamut！」

Mook 正在收拾 Tongrak 的桌子，突然聽到躺在床上的人發出了驚叫聲。她立刻衝向床邊，看著那個準備起身要找人的人。

「Rak 哥你還好嗎？」

「Mook，Mahasamut 呢？」Tongrak 抓住了她的手臂，語氣顫抖。

「他到樓下咖啡廳去了，Rak 哥先別急著起床，頭會暈的。」Mook 按住了他的肩膀，讓他先坐下。

Mahasamut 告訴 Mook 自己要和 Khwan 到樓下的咖啡廳聊聊，請她先照顧 Tongrak。

「他很快就會回來，或者我打電話給他……哦不，他手機壞了。」當她看到 Tongrak 臉上的表情時，簡直想呼自己一巴掌。

對方看起來好自責。

「或者我下去幫你看看？」

「……」

見 Tongrak 依舊保持沉默，Mook 又繼續說：

「Rak 哥你等我一下，我下去喊他。」

「不用了。」

Tongrak 一開始很緊張，在聽到對方只是到樓下咖啡廳時便鬆了口氣，雖然蔓延全身的恐懼依然存在，但已沒有方才那麼強烈，他告訴自己要冷靜下來。

見 Tongrak 仍然一動也不動坐在原處，Mook 不由得擔心起他。

「Rak 哥？你還好嗎？」

「我沒事，Mook，很抱歉讓妳擔心了。」他勉強自己擠出個微笑。

「沒關係，你不用向我道歉。」

Tongrak 再度陷入沉默，讓 Mook 感到有些不對勁。

Rak 哥平常不會有這樣的反應。

「Mook，妳能幫我倒杯水嗎？」

Mook 點點頭，走出房間留下 Tongrak 一個人。

他深吸一口氣，下床來到書桌前，看著那個上鎖的抽屜。

Tongrak 依然很害怕，但 Mahasamut 身上沾血的樣子一直在他腦海中出現。他顫抖地開了鎖、為手機充電，再點開螢幕按下即時通訊軟體。

上頭有一則留給他的訊息。

『出來見我，兒子。』

這條訊息雖然很短，卻帶給 Tongrak 莫大的恐懼。他不得不抓住桌子邊緣，下則訊息讓他更害怕。

『向你家的人問好。』

是他父親！這一切都是他父親造成的！

父親是想表明 Mahasamut 身上的傷是他一手造成的，這是赤裸裸的威脅，如果自己不聽從他的指示，他可能會採取更激烈的手段嗎？

Tongrak 抓緊桌子支撐自己，呼吸開始越來越急促。

「Rak 哥，這是你的水。」

Tongrak 立刻收起手機，低下頭調整呼吸和表情，強迫自己回她一笑。

「Mook，我餓了，妳能去幫我買點東西嗎？」

他不想再把任何人牽扯進來了。如果他父親真的想傷

害誰，那麼就衝著他來吧。

　　Mahasamut 和 Khwan 和 Meena 一起走出咖啡廳後，臉上神色凝重。

　　方才得知的訊息還在腦海中揮之不去，現在的他只想立刻衝回房間，緊緊抱住 Tongrak 安慰，告訴他一切都會沒事的，他會保護他，讓他永遠都不再受到傷害。

　　然而就在這個時候，他見到一抹熟悉的身影走了出來。

　　「Mook？Tongrak 人呢？」

　　為什麼 Mook 會突然下樓來，放 Tongrak 獨自待在房間裡？他心中響起了危險的訊號音。

　　「Rak 哥說他餓了，要我下來買吃的給他。」

　　「但冰箱裡都是吃的啊。」Mahasamut 著急地開口。

　　「Rak 哥說想吃那家店的東西，怎麼了嗎？」被男人感染了緊張，Mook 也開始有些不安。

　　Mahasamut 沒有回答她的問題，只是轉身迅速跑回了公寓。他有一股強烈的預感，直覺告訴他很不對勁。

　　這是男人活了這麼久，第一次希望自己的直覺出了差錯。

　　千萬不要如同他所想的那樣。

「Tongrak！」

Mahasamut 一回到公寓便立刻打開每一扇門找人，不論是臥室、浴室、客房或是衣帽間都去看了，但遍尋不著 Tongrak 的身影。

「手機借我一下！」Mahasamut 連忙向 Mook 開口。

然而打電話對方也沒有接聽。

「該死的！」他生氣到直接爆粗口。

他不是在生 Mook 的氣，也不是在生 Tongrak 的氣，而是在氣那個大混帳。

唯一能做到這點的就只有那個人。

「這一定是我爸爸做的。」

不只他一個人這麼想，Khwan 也有同樣的想法。

「妳知道他可能在哪裡嗎？」

Khwan 搖搖頭，全身顫抖面色蒼白，像是隨時隨地都會倒下，Meena 握住了她的手。

「自從父母離婚後，我從來就不想知道我父親的行蹤，也不想知道他在做什麼，我不想回想起那個人……」

「但肯定有人會知道他在哪裡的，對吧？不管是誰。」Mahasamut 堅持再問，但 Khwan 卻搖搖頭，「Khwan 小姐！妳必須要冷靜下來，一定有方法可以聯絡到妳父親，有個人會知道他的下落，妳想清楚。」

Mahasamut 握住了 Khwan 的肩膀，冷靜鎮定的語氣讓 Khwan 想起了一個人。

「……媽媽。」

雖然她看起來已跟對方切割，並且表現得漠不關心，卻可能是唯一一個知道父親下落的人。即使她表面上已和其他男人展開新戀情，但 Khwan 知道母親私下仍然關注著父親的情況。

「馬上跟她聯絡！」

Khwan 點點頭，她知道自己必須冷靜下來。

Mahasamut 眼底閃爍著可怕的精光，如果那人敢動 Tongrak 一根寒毛，他絕對不會放過對方。

Tongrak 不知道自己是怎麼開車來到這個地方的。越是接近父親發送的位置，他就越感到反胃。他不想哭，但腦海卻浮現那位會給自己糖果、親切問他發生什麼事、在他哭泣時抱住他，告訴他一切都會好起來的善良醫生。

「醫生叔叔死了。」

那時的他只有九歲，卻立刻明白「死了」代表什麼意思。

他哭著要去找醫生，母親帶他去了一個布置鮮花和黑白照片的靈堂。照片裡的死者仍面帶微笑，卻已經不在這

個世界上，不會再有人告訴他事情會好轉，也不會再有人
安慰他。

　　Tongrak 腦海中又浮現 Mahasamut 的笑容，他會笑著
安慰自己，說著一切都會好起來的。

　　他緊緊環抱住自己，淚水滴落在方向盤上，哭聲響徹
車內，他好擔心 Mahasamut 會步上醫生的後塵。

　　「他沒有死，Tongrak，不會有人死，不要擔心！」他
低聲對自己喊話，舉起手擦掉淚水，看向那棟大房子。

　　他不會讓同樣的事情再次發生，絕對不會！

　　他不知道為什麼 Mahasamut 會讓自己有面對過去傷痛
的勇氣，Tongrak 希望他永遠都有輕鬆的笑容，就算不在自
己身邊，也永遠保持開朗善良的那一面。

　　Tongrak 擦乾了眼淚，他知道是時候面對現實了。

　　「進來吧。」

　　他討厭男人這種笑容。

　　「爸爸的住處會很難找嗎？」

　　他討厭這種裝作一副什麼都不知道的口氣。

　　「我以為 Rak 要花更多的時間。」

　　他討厭那種感覺不出來孩子處於痛苦中的父親。

　　他的父親轉身領他進屋，像是兩人之間什麼事都沒發

生過，只是單純的父子。

　　Tongrak 很想轉身就逃，但他做不到。

　　「你想要什麼？」

　　「這已經變成我們父子之間的問候方式了嗎？兒子，先坐下吧。」

　　「我不……」

　　「坐下。」

　　儘管很想反抗，但 Tongrak 仍然在柔軟的沙發坐下並低下了頭，讓對方漫步走到自己面前。

　　「聽話才是乖孩子。」

　　「……」

　　「那麼，你和 Mahasamut 究竟達成了什麼協議呢？」

　　那個名字讓 Tognrak 抬起頭。

　　「爸爸，不要傷害他。」

　　「爸爸是在問，你們協議的內容是什麼？」

　　兩人明顯是在討論不同的話題，但 Tongrak 知道如果自己不回答，對方就會一直追問。他閉上了雙眼，顫抖地交出了幾張紙。

　　「你們兩個真的有書面協議啊？」

　　他把自己與 Mahasamut 的協議交給了父親。

　　「我說過了，請你不要再招惹他。」

　　「為什麼我要照你的話去做？」

　　Tongrak 雖然一直要自己冷靜，別被父親玩弄於股掌之

間，但當對方這麼開口時，他還是抓住了自己的手臂，顫抖地開口：

「我會照你說的一切去做，但不要招惹 Mahasamut。」

「一切嗎？」

「一切……」

「包括把他趕出你家這件事嗎？」

「！！！」

儘管他知道接下來可能會發生什麼事，但聽到這句話時還是感覺窒息，光是想到以後再也無法看到那個人，自己就害怕到快要發瘋。

他必須再面對空蕩蕩的房間嗎？

他家的廚房不會再有那抹高大的身影在裡頭做飯嗎？

他再也聽不到禁止他喝酒的聲音了嗎？

他不會再看到那個惱人的隨意笑容和聽到溫柔的低沉嗓音詢問：「Tongrak 先生，你餓了嗎？」

這一切全都會從日常生活裡消失嗎？

此時，父親的手搭在他的肩膀上，柔和地開口：

「Rak 不會再像小時候那麼固執了，對吧？我說過，你只需要聽我的話。」

Tongrak 聞言垂下了雙手。

他最後一次聽到這句話，是他敬愛的醫生叔叔去世之前。

「我父母離婚後，Rak 的身體出了狀況，媽媽把他送去看兒童精神科，就是在那裡遇到了醫生叔叔。Rak 以前不喜歡說話，也不像其他小朋友那樣活潑，但在接受治療後，病情有好轉。他喜歡提到那位醫生，話裡都透露著對醫生的憧憬，對他來說那不僅僅是治病的醫生，更像家人一樣，但在那之後⋯⋯父親他⋯⋯」

Mahasamut 踩下了油門，回想起 Khwan 告訴自己那段關於 Tongrak 的兒時回憶。

「我不知道他想做什麼，但他突然出現來找了 Rak，告訴他不需要再去看醫生了，然而 Rak 卻沒有告訴任何人這件事。」

「所以醫生怎麼了？被妳父親殺了嗎？」

「不，就算我父親很差勁，他也不會做出這樣的事，那會給他帶來麻煩。一開始我以為他只是像過去一樣嚇嚇 Rak，讓他害怕而已⋯⋯」Khwan 臉上有著愧疚，「原來那天 Rak 按照計畫回診後，將父親的事情告訴了醫生。當天他回家後，我們正在吃晚飯時，媽媽打電話來說醫生發生了車禍，Rak 便開始痛哭。他覺得一切都是他的錯，如果他沒有去看醫生，對方也不會死，當時我的年紀也還沒大到可以安慰九歲的 Rak，告訴他這件事與他無關、一切只是意外，只能眼睜睜看著 Rak 哭到喘不過氣，什麼也做

不了。」

Mahasamut 忘不了 Khwan 無助又痛楚的淚水。

「我們之間再也沒人提過這件事。儘管彼此都清楚那不是父親做的，但他還是找了 Rak 並故意讓他感到愧疚。直到今天，Rak 依然很自責，我承認我也很怕父親，但比起 Rak 害怕失去你來說，這算不了什麼。」她面帶懇求地看著他，「我能把 Rak 托付給你嗎？」

Khwan 一直希望有個人能陪在弟弟身邊，告訴他一切都不是他的錯，彌補自己小時候沒能安慰弟弟的遺憾。

Mahasamut 堅定地回應：「我一定會好好照顧他。」

Mahasamut 推開那個迎接自己的混蛋男人，衝進屋內尋找最在意的那個人，而那個面帶溫柔笑容的屋主則站在他身後開口說：

「我可以報警告你非法入侵。」

男人一臉不在乎，他準備把這房子整間翻過來找人。

幸運的是，一走進客廳就看到他要找的那個人。

Mahasamut 沒有想太多，邁開長腿衝了進去，跪在他面前，上下審視他的情況。

「你還好嗎？有沒有哪裡不舒服？」

Mahasamut 擔心對方受了什麼傷。

「你為什麼一副我虐待了自己孩子的語氣？」

「你閉嘴！」

Tongrak 越是安靜不吭聲，Mahasamut 就越是焦躁不已，Jak 說話時他回嘴的口氣很差，但再度面向 Tongrak 時，又恢復成平時的溫柔語氣。

「告訴我，你怎麼了？」

「……」

「Tongrak，跟我說話。」

Tongrak 抬起頭對上 Mahasamut 的視線。他強逼自己不能哭出聲，不能尖叫，然而就算表面再怎麼平靜，內心仍然像是被利刃狠狠劃過一般。

「你沒事吧？」

Mahasamut 大掌輕撫蒼白的臉頰，希望對方開口告訴自己一句話，為此他願意做任何事。

「你不是有話要對 Mahasamut 說嗎？」Jak 說。

Mahasamut 原本想再破口大罵，但面前的人讓他停下了動作。

Tongrak 輕輕揮開了抓住自己的大手，憋住眼淚，緩緩開口：

「我想停止這一切……」

「什麼意思？」

「我們的事。」

「什麼？」

Tongrak 全身都在顫抖，但還是繼續說：

「我們解除協議吧。」

直到這個時候，Mahasamut 才意識到他手上拿的紙是什麼。

「不，我不想放棄。」

「但我想要解除協議了，現在就立刻解除，現在！」

「不行，我不同意！」

「Mahasamut！」

「不管你說什麼我都不同意！」

如果 Tongrak 看著他的眼神寫滿憤怒，或許 Mahasamut 會就此妥協，但他看得出來對方的神情有著哀求和不捨，自己又怎麼可能相信他是真的想要分手？

「我不再需要你了。」

Tongrak 大概沒意識到自己渾身都在抖。

「我不相信。」

「我厭倦你了。」

但他臉上看起來一副快哭出來的樣子。

「不是真的。」

Mahasamut 想讓對方說出真心話。他想抱住他，為他擦去眼淚。

「我是認真的。」

就在他準備伸出雙手抱人時，Tongrak 推開了他，在他面前將協議撕成碎片。

「從現在開始，我和你結束了。」

Mahasamut 只能眼睜睜看著他撕碎手中的協議，意識到兩人的關係從一開始就很脆弱，要是沒有這幾張紙，他們也絕不可能在一起。

「Rak 已經說得很清楚了。從現在開始，你可以離開他家了。」Jak 在兒子身邊坐了下來，看著在原地一動也不動的 Mahasamut，轉頭對兒子說：「幹得好，Rak。」

「明天你必須離開我家。」

Mahasamut 看向那個開口說話的人。

「你是說，我們之間的協議結束了，是嗎？」

「……是的。」

「不必再服從你的命令了，是嗎？」

「……是的。」

如果 Tongrak 選擇這麼做，那麼他也可以。

「很好，因為我也不想再照你說的每個字去做了。」Mahasamut 緩緩起身，看了看 Tongrak 痛苦的眼神，嘴角勾起一抹弧度，「因為我想這麼做。」

「！！！」

Mahasamut 轉身抓住了 Jak 的衣領，不由分說便朝他用力揮了一拳。

這個人傷害了 Tongrak，他也不會再手軟！

Episode 29

自己的選擇

　　拳頭打中肉體的聲音在偌大的室內響起，Tongrak 一臉震驚看著 Mahasamut 抓住了父親的衣領，並在他臉上落下了拳頭。

　　「你他媽的是在做什麼？我要把你關進牢裡！」

　　「那你就去做啊！先讓我用拳頭告訴你該怎麼做人！」

　　Mahasamut 又揚起重拳揮向 Jak 的臉，刺耳的聲音可怕到嚇人。

　　「如果你想抓我進監獄的話就快做吧！」

　　「Rak！快阻止他！該死的！」

　　Tongrak 太過驚駭，父親的聲音像是從很遠的地方傳來。

　　「放開我！你知道我能做什麼！要是你再不放開我，我就殺了你！」

　　父親的大喊再度喚醒了 Tongrak 內心的恐懼，腦中浮現 Mahasamut 全身是血的樣子，於是他立刻衝了上去，拉住 Mahasamut 的手大喊：

　　「Mahasamut！夠了，夠了！」

　　男人轉過身對他一笑，輕輕推開了他。

　　「不，因為你已經沒有權利命令我了。」

　　Tongrak 聞言內心一陣刺痛，他張大了口，眼中泛淚。

　　「既然我現在不需要遵守你的命令，就放手讓我做吧。」男人讓 Tongrak 後退一步，再轉頭看向那個已爬到房間另一端的 Jak。Mahasamut 大步上前抓住對方的衣領，

將他按倒在地，並掐住了他的喉嚨。

「你說過想殺了我是嗎？我想知道你能不能做到。」

「Mahasamut！」

Tongrak 的聲音並沒讓名字的主人住手，他雙眼如同獵人般凶狠，死死盯著倒在地上的中年男子。

「是你將這個限制解除的。」

那份協議限制了 Mahasamut，一旦協議被撕毀後，就代表自己不必再聽從 Tongrak 的命令，「現在就讓你見識一下真正的我。」

「等等、等等！我們可以談談，你想要什麼？你想要多少錢？我兒子付得起。」

即使在這樣的情況下，Jak 仍然想讓 Tongrak 收拾善後，他的話搧強了 Mahasamut 內心的怒火。

「別這樣，Rak，快阻止他！你沒看到他在打我嗎？」

Mahasamut 再往 Jak 臉上揮去一拳，看著那個摀住自己臉頰的人，銳利的雙眼無比冷漠，接著起身用力踢了 Jak 一腳，耳邊立刻響起對方的尖叫聲。

「如果你這麼厲害，就跟我單挑對決吧，而不是挑軟柿子吃。操控女人和你自己的兒子是件很光榮的事嗎？」

男人面帶不屑地看了那個被打倒在地的人一眼，語氣極度諷刺，接著轉頭看向愣在原地的 Tongrak，邁開步伐走了過去。

「你以為、你以為我會就這麼放過你嗎？」

Jak 的話讓 Mahasamut 再度回頭看他。

他不知道這個陰險的男人會做什麼，既然事情都已經到這個地步了，他也不打算就此罷手。

「夠了！Mahasamut！夠了！你沒聽到我爸說的話嗎？他不會就此罷休，你知道你在做什麼嗎？」

Tongrak 好害怕，就算他撕毀了協議也擔心父親不會放過 Mahasamut，他不知道父親接下來還會做出什麼事，更可怕的是自己可能無法阻止這一切。

一思及此，Tongrak 眼眶盈滿了淚水，雙手從後方緊緊地抱住了 Mahasamut 的背。

「他還能對我做什麼？」

「他會殺了你！」Tongrak 大喊。

「他傷害不了我。」Mahasamut 給了他一個安慰的笑容。

「為什麼傷害不了？他殺了醫生叔叔啊！」

「不是他殺的，你明明知道那是一場意外！」

Mahasamut 反駁，轉過身面對 Tongrak，指著躺在一旁的 Jak，「你現在看到了什麼？」

「……」他看到了自己的父親倒在地板上哀叫。

「看看你父親能對我做什麼？他就只是個狡猾的人，欺騙了你周遭的人，你明知道他不會殺人，就算他敢，我也不怕。」

不知道為什麼，那道低沉穩定的嗓音正逐漸平息

Tongrak 內心的恐懼。

「你的醫生叔叔不是因為他才死的，也不是因為你，這次也不會有人死。」

也許直到此時此刻他才相信這點。

醫生的死真的不是因為自己不聽父親的話嗎？他真的可以這麼認為嗎？

這是 Tongrak 第一次直視父親。

從什麼時候開始，他不敢再看向這個人的雙眼，或許是因為挨揍留下了陰影，也或許自己從來沒敢正眼看過。

Tongrak 印象中的父親外表相當帥氣，充滿自信口才又好，母親十分崇拜他。但他現在只看到一個中年男人躺在地上痛苦呻吟。

這就是他一直害怕的人。而那人此時抬頭看他，並哀求著：「Rak，幫幫我。」

「你還不給我閉嘴！」

Mahasamut 一舉起手，躺地的男人就立刻摀住了臉，Tongrak 內心忍不住升起了一個疑惑：像這樣的人，真的敢殺人嗎？

「爸爸⋯⋯」他對著父親開口，「從小到大我一直很怕你，但如果你仍然把我當你兒子，就不要再干涉我和我愛的人了，可以嗎？我們以後別再聯絡了。」

Tongrak 看著父親的神情，猜到他應該不會同意。

就在他不知如何是好時，Mahasamut 出聲說：

「如果你不想餓死的話，就別再出現在我們面前。」

「你是什麼意思？」Tongrak 不解地問。

Mahasamut 蹲了下來，盯著他的雙眼，嘆了口氣。

「我剛才和你媽媽談過了，是她把這裡的地址給我，還提到她會給你爸金援，只是不想讓他破壞家庭和諧，但她決定停止這一切。」

「不可能，Liu 不會離開我。」Jak 立刻大喊。

男人轉身看那個掙扎的中年男子，面露冷笑。

「Liu 女士知道你會這麼說，所以讓我轉達……如果你真的不收手的話，她就會在你和孩子之間做出抉擇，而她已經有了決定。」

她會為了心愛的孩子與丈夫切斷一切關係。

「如果你再不停手的話，你現在擁有的會全數消失。」

Tongrak 以前沒看過父親害怕過誰，但 Mahasamut 簡單的幾句話就讓他安靜下來，像是擔心對方所說的一切都會成真。這是 Tongrak 第一次感受到母親試圖以母親的立場保護他們。

他們母子以前沒有談論過這些事，他們都將父親的事當成不能碰的回憶塵封。媽媽這次做出了選擇，讓 Tongrak 也下了決定。

「我不會再見你了，也不會再給你錢，更不會聽你的話……希望你不要再傷害任何人。」

Tongrak 丟下那句話後，便和 Mahasamut 離開了那裡。

也許在他心裡，一直希望有人能帶著自己跨過去。

而那個人已經出現。

Mahasamut，一路緊握著他的手的人。

「你之前就和我媽有聯繫了嗎？」

「不，是今天在找你的時候。」

回家的路上，Tongrak 一直保持沉默，而 Mahasamut 也沒有主動開口說話，選擇讓對方安靜思考這一切，並撥了通電話給 Khwan 告訴她事發經過。直到兩人走進了公寓，沉默許久的人才開口。

「當時我和 Khwan 小姐在一起，她主動聯絡了你媽媽，還說如果我無法帶你回去，Liu 女士會派人來幫忙。」

作家陷入沉默，男人只是靜靜地看著他。

「一直以來我都不知道媽媽真實的想法，」Tongrak 打破沉默，「因為不想讓爸爸來騷擾我們，所以我們無條件給他錢，即使如此他仍然沒有罷手。」

「你們只是沒有互相溝通。」

Mahasamut 看得出來不管是 Khwan 或 Liu 女士都很擔心 Tongrak，一家人沒有好好對談才會有認知落差，只不過自己也沒資格說什麼，畢竟他十幾歲就離家出走了。

Tongrak 抱緊自己的膝蓋，Mahasamut 伸手輕碰他的肩

膀。「你還好嗎？」

「我想說還好，但是……」

「不好的話就儘管開口吧，我不是說過了嗎？你有什麼事就當著我的面說。」男人溫暖的大手像是想傳達力量給他，讓他知道只要自己在這裡，他就不需要害怕任何事。

Tongrak 抬起頭對上了他的視線，眼神脆弱。

「我一點都不好。」

Mahasamut 抱住了他。

「把事情說出來就是這麼簡單。」

Tongrak 用力抓住了他，對方的話像是壓垮駱駝的最後一根稻草。

「我不想給我父親錢，但我擔心他會傷害姊姊和 Meena；我不想因為醫生叔叔的死而自責，但無法控制自己胡思亂想；我想要相信父親不會傷害任何人，但我又很害怕；我不想撕毀協議，也不想趕你走，但如果我不那麼做，父親就會傷害你。」Tongrak 對他說出了真心話，「對不起，我不是故意要那麼說的。」

「我知道。」

「但我告訴你我們之間已經結束了，我……」

Mahasamut 輕輕在他唇上一吻，讓那個自責的人安靜了下來，Tongrak 顫抖地看著他，內心滿是愧疚。

「如果你對我感到愧疚，就別再自責了。」

「我……可能做不到。」

　　Mahasamut 知道 Tongrak 短時間可能很難消除內心創傷，但至少他已經準備好走出那段陰霾。只要他需要，自己隨時支持著他。

　　「對不起。」Tongrak 低聲開口。

　　「唉……你一直向我道歉，我怎麼可能還生你的氣呢？」

　　「你在生我的氣嗎？」Tongrak 嚇得推開了他。

　　Mahasamut 輕笑出聲。

　　「你什麼都沒說就消失了，知道我有多擔心你嗎？你對我說的話很傷人，還好我的臉皮夠厚。你父親也很誇張，你看看，我手上的傷口又裂開了。」

　　男人邊說邊佯裝難受地檢查自己的右手。

　　「痛嗎？」Tongrak 小心翼翼地輕撫男人手上的繃帶，口氣關心。

　　「確實很痛。」他使用了誇飾法，抓住機會扮演受害者的角色。

　　「要不要去看醫生？」

　　Tongrak 看了他一眼。

　　「不用了，沒關係，只要你吻一下就好。」Mahasamut 面無表情地說，看著對方露出了然的神色、意識到自己上當之後，他甚至能預想接下來可能會發生什麼事。

　　沒事，只要能看到他關心自己的樣子，就算挨了一巴掌也值得。

　　然而臉上的痛楚並沒有如預想般落下，只見 Tongrak 輕輕吻了他的手，抬頭直視他的雙眼，放柔了語氣。

　　「現在好點了嗎？」

　　唉，他真想多痛幾天。

　　Mahasamut 抱住了對方，他知道 Tongrak 之所以會這麼做是因為愧疚，如果他想再看到那個自信靈動的作家，就不能再扮演病人的角色。他收緊了雙手，將臉埋進 Tongrak 的頭髮，貪婪地汲取熟悉的香味，接著低聲開口：

　　「我真的沒事。」

　　「謝謝。」Tongrak 抓緊了 Mahasamut 的衣服，小聲地說。

　　就算接下來沒有對話，緊緊相擁的人兒也能清楚聽到彼此心跳的聲音。

　　「Rak 哥怎麼樣了？」

　　「他睡著了。」

　　一聽到 Tongrak 沒事，Mook 鬆了一口氣。

　　從 Mahasamut 去找 Tongrak，到他們回家後就關進了臥室裡，在門外的 Mook 一直無法鬆懈。雖然 Tongrak 很少在她面前談論他家的事，但自己成為秘書之前就住他家隔壁，從小就認識彼此，大概也能猜到此時的情形。

　　Tongrak 一回到公寓後，只向自己說了句「對不起」。

Mook 寧願他罵自己或丟更多工作給她。

「妳先回去休息吧，我會照顧 Tongrak 的。」

一開始 Mahasamut 確實無法讓她信任，畢竟他以一個空降部隊賴在 Tongrak 身邊，於情於理她都應該保持警戒。只是原先的懷疑不知在什麼時候變成了信任，只要看到 Mahasamut 在 Tongrak 身邊，她就能安心。

如果有人能讓 Tongrak 變得更好，那應該就是 Mahasamut 了。

「你為什麼要這麼做？」Mook 忍不住好奇地問。

對方是以被 Tongrak 買下的身分進到這棟公寓的，但他做的事遠遠超出該有的範圍。

「沒什麼，我只是想這麼做。」Mahasamut 輕笑，「我不想讓自己後悔，Mook 小姐。我從小就知道……全力以赴去做自己想做的事，才不會留下遺憾。」

Mook 被他的話打動，即使如此，她內心仍然有個疑惑。

「如果……Rak 哥他……呃……無法回報你呢？」

男人眼底閃過一抹悲傷，但很快就消失不見。

「那我只能接受這一切，至少我努力過。」

Mook 聞言握緊了雙拳，原以為她這輩子都不會有這樣的想法，此刻卻很想知道答案。

「你能和 Rak 哥永遠在一起嗎？」

「這取決於 Tongrak 的決定。」

愛情是兩個人的事，如果他的努力無法得到對方的回應，終究只是一廂情願而已。

那天過後，Tongrak 將之前和父親傳訊的手機交給了 Mahasamut，讓他看了手機裡所有訊息，並要求他刪了對話紀錄。

當 Mahasamut 問他為什麼不自己刪時，他這樣回道：

「我希望有人見證我正在向前進，而我希望那個人是你。」

Mahasamut 刪掉了手機裡所有訊息，但沒有照 Tongrak 的指示扔掉手機，畢竟那手機還能用，他就不需要浪費錢買新手機了。

然而，Mahasamut 今天很後悔為什麼當初沒把手機扔掉。

〔Mut 哥，你知道現在幾月了嗎？大家在上個月就開始工作了，但你卻一直搞失蹤！要是你不想回來開店就告訴我，我好去找別的工作！〕

Palm 的大喊大叫讓 Mahasamut 將手機拿遠了些，以防耳膜被對方的嗓音震破。

他已經在曼谷待了四個月，這也就代表島上的旺季已經到來，不做生意就不會有收入，而且可能會失去之前經

營起來的老顧客，難怪 Palm 會哇哇大叫。

「我知道現在是幾月。」

〔那你什麼時候要回來？你再不回來，店都要倒了。〕

「小心你的措詞，Palm。」

〔我說的不是事實嗎？ Mut 哥！〕

Mahasamut 陷入沉默，儘管去島上觀光的泰國遊客可能會減少，但來自國外的旅客還是絡繹不絕，他很清楚這件事，不過內心還是下了決定。

「再給我一點時間。」

〔你還要多久時間？〕

Mahasamut 看著前幾天剛送來的東西，指尖輕觸銀色物體，銳利的雙眼閃爍著決心。

「一星期，我需要一星期的時間。」

他必須賭上自己所擁有的一切。

Episode 30

賭注

「明天你真的不跟我一起去嗎？」

「你想讓我一起去嗎？」

路燈光線透過窗簾細縫照進了偌大的臥室，Tongrak 依偎在 Mahasamut 的肩頭，用問題打破了沉默。

Tongrak 抬起頭，看著男人的眼裡有著請求，他的眼神惹來男人的輕笑。

「是的。」

原本 Mahasamut 以為他會反駁，沒想到他居然如此乖巧。

該死，Tongrak 實在是太可愛了。

他很想用力親吻懷裡可愛的人兒，但他知道對方更想要溫暖的擁抱，於是 Mahasamut 轉過身面對他，大掌輕撫 Tongrak 的臉頰。

「我很想跟你一起去，但你們一家人也很久沒有聚在一起了，應該有很多話想聊，我跟去不太方便。」

「但我媽媽想見你。」

Tongrak 下意識緊抿雙唇，在父親的事情解決之後，他似乎還沒察覺自己的態度軟化了不少，也不像以前那麼愛挑釁，取而代之的是極度渴望別人的關愛。

他現在很依賴 Mahasamut，從他希望對方能一起去見母親就可以得知。

或許他並不是唯一擁有這種想法的人，Mahasamut 也不想讓自己離開他的視線。回家後的 Tongrak 仍然沉浸在

父親的事情之中，依舊擔心對方會不會像以前那樣騷擾家人，但 Mahasamut 試著幫助 Tongrak 擺脫這樣的困境。曾幾何時，Tongrak 醒來後第一件事就是尋找 Mahasamut。

Mahasamut 喜歡一早醒來就下樓喝咖啡，但現在他會在房裡喝，等著 Tongrak 睡醒。

「我們下次再約吧。」Mahasamut 輕聲說。

Tongrak 雖然很想爭辯，但最終沒有開口。

男人笑出聲，伸手捏了捏他的臉頰。

「你很不安嗎，Tognrak？」

「我有什麼好不安的？就只是跟一個許久沒見的母親吃飯，還有 Khwan 姊和 Meena……」

「你可以做到的。」

還沒有等固執的 Tongrak 為自己辯解完，男人便笑笑地打斷他的話。

他確實很不安。

Tongrak 已有段時間沒跟母親碰過面，時間的隔閡再加上長久不對話的結果，已經讓他有些緊張，如果再被她知道自己私下匯錢給父親的話，不知道媽媽會怎麼想？

還有……他母親會怎麼看待 Mahasamut 這個男人？

要是她知道自己花錢買了 Mahasamut，步上了她的後塵，她會做何感想？

但這些煩惱很快就因為對方的擁抱而煙消雲散。

「相信我，一切都會好起來的。」

對方醇厚的嗓音讓 Tongrak 感到被安慰了，他將臉埋進男人的胸膛裡，咕噥地開口：

「下次，你一定要跟我一起去。」

下次 Tongrak 回家時，他想把 Mahasamut 介紹給家人。

「一切都取決於你，Tongrak。」

Tongrak 在他懷裡露出了笑容，以為 Mahasamut 這次會一如既往縱容自己，但他並沒有料到，這次和往常不一樣了。

不一樣的，讓人心生恐懼。

Mahasamut 看著手裡的棕色皮革。

雖然只是一條簡單的皮革，但經過編織後就變成一條手鏈，看起來精緻得就像是商店裡販售的精品。皮革兩端垂下兩枚外觀完全不同的銀色吊飾，憑添了些許的獨特。

其中一個吊飾是深藍色的鋼筆外型，另一個則是圓球狀的吊飾，若仔細觀察，可以看到上頭刻了兩人的故事。

不，或許是 Mahasamut 的故事。

Mahasamut 指腹輕撫著圓型吊飾，嘴角勾起一抹弧度。他在海邊長大，生活起始於蔚藍的海域，在他還不會走路時就已經在船上了，每天幾乎都在經歷一樣的事，直到他遇上了愛情。

　　銳利的目光停在圓型吊飾一側的心形圖案，這個圖案象徵著他在生命裡遇到的另一個重要的人。Mahasamut 想告訴那個人，自己的心已經屬於對方。

　　屬於那個叫 Tongrak 的人。

　　這條手鏈是 Mahasamut 親手編的，而吊飾則是他找人做出來的。

　　有誰會想到，他為島上所做的工作此時會成為送給某人的禮物？

　　他想送給生命中最重要的人的第一份禮物。

　　或許這個禮物的價值沒有 Tongrak 以往收過的禮物貴重，甚至比不上他買過的任何一雙鞋，但 Mahasamut 認為心意無價。

　　「我愛你。」

　　這是他唯一想告訴 Tongrak 的事。

　　銳利的雙眼盯著手鏈，內心清楚明白，這是他最後的賭注。

　　「Mahasamut！」

　　「我在廚房。」

　　Tongrak 一進公寓便立刻大喊，臉上滿是笑容，雙眼閃閃發光，當他看到想找的人影時，心情更顯愉悅。

他走過去環住 Mahasamut 的腰，將臉埋進他的肩膀。

「成功了嗎？」男人半開玩笑地問，他知道對方今天做了什麼。

「嗯。」

今天是 Tongrak 與家裡人聚餐的日子。

一開始 Tongrak 還覺得很尷尬，直到想起面前的人曾對自己提過一切都會好起來的，於是他選擇將所有的事全都坦白出來，而他的母親也敞開心扉，表示她付錢給那個男人不是因為仍然愛他，只是想讓對方遠離孩子們而已，但她不知道那男人還是跑去威脅了孩子。她之所以一直保持沉默，是不想讓孩子們回想起恐怖的往事。

「對不起，都是我的錯。」母親為此致歉。

她只是擔心孩子們，並且沒學會如何表達關心。

「我媽會處理好爸爸的事，保證他不會再來威脅我們。如果他敢故技重施的話，她也有可以把他關進牢裡的證據，而且我還處理了那間房子的監控錄影。」

「什麼錄影？」男人眉頭輕皺，不解地問。

「我違反了我們的協議，」Tongrak 為他所做過的事而愧疚，「那間房裡到處都是監視器，爸爸打算把我跟你提分手的影片發給 Prin。」

「那個混帳！」Mahasamut 霎時怒火中燒，眼神看起來像是要殺人。

Tongrak 很喜歡他這樣的反應。

「他居然還沒記取教訓？」男人大吼一聲，像是準備要去打人的樣子，但被 Tongrak 一把拉住。

「我媽已經處理好一切了，包括那女人。」

Mahasamut 看向 Tongrak，後者對他露出安心的笑容。

「我爸為了錢可以做出任何事，就算被打了也不會罷休，他可能只是想讓這一切看起來合理，但我媽後來拿了監視錄影跑去了 Prin 家……」Tongrak 頓了頓，反指著自己，「你會覺得我太咄咄逼人嗎？」

「你覺得我會怎麼回答？」

Tongrak 露出一抹笑意，他不難猜出男人的答案。

「我媽比我還要激烈好幾倍，差點沒把阿姨的頭髮給拔光，Prin 又怎麼可能逃得過？媽媽將所有發生的事全都昭告給家裡的人聽，讓 Prin 再也抬不起頭，直到我阿姨說會將她送到國外去，不會再回到泰國，我媽才善罷干休。」Tongrak 一想起 Prin 當時會有的反應，臉上的笑容就越來越大。

想必她在自己母親面前一定怕到什麼都說不出來。

「我們忘記這件事吧。」Tongrak 挽住了 Mahasamut 的手臂，他還有其他的事想說，「從現在開始，我媽希望每個月能跟我們共進一次晚餐。」

「那很好，你可以多和家人相處。」

「她還說想見你。」

Tongrak 腦海中浮現了母親表示想見 Mahasamut 時臉

上掛著的微笑，在聽到這句話後，他臉上也有了燦爛的笑容，很高興家人們都接受了 Mahasamut 這個男人。

這對他來說已經足夠，他想盡快讓 Mahasamut 知道這件事。

「下次，來見見我的家人吧。」Tongrak 忍不住要求。

Tongrak 的笑容曾經讓 Mahasamut 神魂顛倒，但今天 Mahasamut 的心情卻不復以往。

Mahasamut 只是看了他一眼，像是做了什麼決定一般。

「怎麼了嗎？」Tongrak 看向男人剛復元的手，對方低沉的嗓音將他的視線拉了回來。

「我有東西要給你。」

Tongrak 面露驚訝，雖然 Mahasamut 的眼神一如既往地認真，但不知道為什麼，直覺讓他感到有些不對勁。他內心尖叫著應該逃跑，但雙腿卻定在原地無法動彈。

「你能閉上眼睛嗎？」

即使有點遲疑，Tongrak 仍然閉上了雙眼。

他感到心跳無法抑制地加快，接著手腕傳來了異物感，伴隨著冰涼的金屬觸碰他的脈搏，然而讓他顫抖的不是這個，而是停留在他手腕上的指腹。

熟悉的觸感……溫柔，和……懇求。

「我能睜開眼睛嗎？」Tongrak 語氣有些焦急。

「嗯。」

作家緩緩睜開雙眼，先是對上了男人深邃的眼眸，接

著再往下看到手腕上的東西。

他手腕上有一條樣式簡單的皮革手鏈，和 Tongrak 平時會佩戴的首飾並不相同，手鏈上有兩個吊飾。

「這是什麼？」

他看到一支深藍色的筆和一個圓型的吊飾，上頭還有一顆心。

「還記得我提過想試著用回收金屬製作飾品的事嗎？」Mahasamut 緊握住他的手。

「……記得。」

「這是我第一件完成的作品。」

「你想拿去賣嗎？」Tongrak 小聲地問。

「不，這兩個吊飾是全世界獨一無二的。」Mahasamut 直視他的雙眼，露出了溫暖的笑容，「你看到那顆消失的心了嗎？」

「……看到了。」

「心已經不在我這裡了，因為……我把心給了你。」

Tongrak 感覺全身像是被一陣閃電劈過，儘管他寫了十幾本小說，但眼前這一切都不是構思出來的世界所能比擬的。他不需要花太多時間理解當中的含義是什麼，因為本能已經讓他知道了一切。

「我愛……」

「別說出來！！！」

Tongrak 打斷了對方的告白。他掙脫了自己的手，驚恐

地看向男人，死命搖頭並用顫抖的乞求語氣開口，像是被判了死刑一般。

「不要說出來，Mahasamut。」

請不要說出來，不要讓我們就這樣結束。

「不，我想告訴你，現在。」Mahasamut 無視於他的請求繼續開口。

Tongrak 轉身邁開雙腿走進房間，眼中淚水盈眶。即使如此，內心唯一的念頭告訴他……他絕對不會聽這些話。

Tongrak 快步走進了房間，他唯一能做的就是衝向他的筆電，接著掀開螢幕，手指在鍵盤上飛快移動，在那之後 Mahasamut 就走了進來，開口問：

「你要做什麼？」

Tongrak 沒有回答，只是加快了敲鍵盤的速度，像是發生了什麼事讓他很著急。

「快點、快點。」

Tongrak 甚至不知道 Mahasamut 什麼時候接近他、拉住了他的手臂，強迫他轉過身來。

「我問你在做什麼？」男人越來越大聲。

「我答應你，我會寫的。」

「寫什麼？」

「我們之間的協議。」

Tongrak 看到 Mahasamut 眼中閃過了一抹悲痛，卻無法安慰他。

「我們必須重簽協議。」

「該死的協議！」男人握緊了他的手，語氣憤怒，「我們之間不需要協議！」

「需要！」

「不需要！」

「我說了需要！」

「不，Tongrak，你聽我說……」

「你才要聽我說！」

「我愛你！」

「！！！」

不管 Tongrak 再怎麼努力反抗，對方的告白依然迴響在房間裡，製造了吞噬一切的沉默。他瞪大了雙眼，全身止不住地發抖，心臟劇烈跳動著，彷彿隨時會死去那般。

「你為什麼要這麼說？」

「因為我想告訴你。」

「不，你不明白。」

「那你就讓我明白。」

Tongrak 低下頭，他仍然堅信自己不需要愛情。一旦 Mahasamut 說出了「愛」這個字，他心中就會浮現滿是淚水哭泣的臉，以及無止境的煎熬痛苦，父親看母親的冰冷

雙眼、Khwan 的前男友發現她懷孕後的表情，沒有一個人
是幸福的。

　　而現在，他看著面前的男人雙眼空洞，好似已經失去
了一切情感的樣子。

　　不，他不要這樣的結局，他不想聽到對方的告白。

　　「我想重新擬定一份協議……」Tongrak 顫抖地開口。

　　Mahasamut 拿起了手機，在上頭輸入了幾個字。

　　與此同時，Tongrak 的手機響起了提示音。

　　「五千夠了嗎？」

　　「什麼？」

　　「還是要一萬五？」

　　Tongrak 還沒理解對方的話，Mahasamut 又按下了號
碼，重現對方之前曾做過的事情。

　　「三萬夠了嗎？」

　　「不！」

　　「十萬？」

　　「住手！」

　　「還是要十五萬？」

　　「住手，Mahasamut！」

　　男人甚至沒有給予他時間回應，Tongrak 緊緊握住了他
的手，看著男人那雙堅定不移的眼神，說出了讓自己心碎
的話語。

　　「如果想要你的愛，需要付多少錢？」

「你為什麼要這麼做？」

「因為我從來就不想要你的錢，我想要的……一直都是你。」

Tongrak 一時之間無法言語，Mahasamut 又向前往他逼近了一步。

「讓我愛你。」

「不，我不需要你的愛！」

Mahasamut 的手一碰到 Tongrak 的臉頰就立刻被他揮開，「不要告訴我你愛不愛我，別嘗試做任何事，我不想要！我不需要！」

Tongrak 拔下手腕上如同枷鎖般燙人的手鏈，扔向了 Mahasamut，望著那個向來對自己展露笑顏的男人此時臉上痛楚的神情，感受到「愛」就是如此令人難受。

他不喜歡這種沉重的感覺。

「……」

「……」

房內一片寂靜，男人的眼中寫滿悲痛，而 Tongrak 則是恐懼到了偏執的地步。前者彎腰撿起掉在地上的手鏈，打破了沉默。

「好吧，你可能不想要。」他朝 Tongrak 靠近了一步，握住了他的手，「但我也不會要回來。」

「……」

「我的心、我的感情，付出了就不會收回。」男人對他

一笑，將手鏈塞回 Tongrak 手裡，「我只是想最後一次告訴你……我愛你。」

Mahasamut 臉上掛著勉強的微笑，手掌的溫暖持續傳來，然而 Tongrak 卻只能如此回應：

「我不會愛你的。」

「嗯，我知道。」Mahasamut 臉上的淚水不知道在什麼時候滑落，卻依舊帶著笑，「TongrakMahasamut，永遠都不會實現。」

溫暖的感覺從手中消失了，高大的背影也隨著關上的門而離去，Tongrak 倒在椅子上，雙手握緊桌子邊緣，緊咬住雙唇，手鏈刺痛了他的掌心，讓他再也忍不住地淚流滿面。

「妳在想什麼呢？」

「我在想 Rak 哥，Vi 姐。」

今天是 Vi 引誘 Mook 到她家的日子，而對方正因自己的老闆身邊有人陪伴而感到開心。

「很高興看到他找到幸福。」

「事情真的會這麼順利嗎？」Vi 在她身邊坐了下來。

「為什麼這麼說？」Mook 聞言立刻輕皺眉頭。

之前她還不斷威脅 Mahasamut，現在居然改變了立場。

只是從小就認識 Tongrak 的 Vi 內心仍有些不安。她曾見過對方毫不留情地拒絕了女孩的示愛，甚至在他抱持嘗試心態發生一夜情後，面對對方的認真態度，她也沒忘記 Tongrak 當時的漠然。

他這一生不曾追求過任何愛情，不是討厭，而是害怕。

過往的沉重讓 Tongrak 不想去碰愛，只要牽扯到這個字，他就會立刻逃得無影無蹤，所以對那個南方人來說，這將是一項艱鉅的任務。

「有時人要在失去後才懂得珍惜，對於一個逃避了一輩子的人來說，有可能一下子就接受嗎？」

Mook 瞪大了眼，原本閃著光芒的雙眼暗了下來。

「但 Mut 應該不會放棄……吧？」

現在她臉上寫滿了對男人的支持。

Vi 忍不住輕笑出聲，內心升起了想嘲笑她的衝動，Mook 自己或許也沒察覺，她和 Tongrak 很像，都難以面對自己的感情。

她還來不及開口揶揄對方，門鈴聲在此時響起，Mook 連忙起身去開門。

「你好。」

背著背包出現在門口的人讓 Vi 皺了眉。

Mahasamut。

她有股不祥的預感。

Episode 31

起點

Mahasamut 走進了放學後常帶 Meena 去的咖啡廳，掃視了店裡一圈，很快就找個自己正在等的人。

他隱藏所有的思緒，包含遺憾和悲傷，此時的他，只想好好道別。

尤其是女孩。

「Meena 的舅舅！」小女孩一見到他就立刻起身打招呼，沒有發現自己的稱呼刺痛了 Mahasamut 的心。

「怎麼啦，妳這個小屁孩。」男人邁開步伐往她走過去。

「因為你是我的舅舅，我才容許你這麼喊我的。」

Mahasamut 揉了揉她的頭，對方的言行舉止讓他想起了那個人。

此時在他腦海裡浮現的，不是 Tongrak 的迷人笑容，也不是高傲的神情，而是一張充滿痛苦、滿是淚水的臉孔。

「Mut，你想點些什麼嗎？」坐在女兒旁邊的 Khwan 笑著開口問。

「沒關係，Khwan 小姐，我只是想順便來看看 Meena。」

Mahasamut 甩去腦中的畫面，在兩人面前坐了下來，放在一旁的舊背包裡有他的筆電和幾件 Palm 寄來的私人物品。

他要回島上了。

昨天晚上，Mahasamut 坐在客廳中間的沙發過了一夜，只盯著 Tongrak 的房門。原本希望能看到對方走出來

擁抱自己，說他們之間不會只剩下錢，並對自己訴說愛意。

然而這一切並沒有實現。

低垂的夜幕淡去，迎來了朝陽，Mahasamut 在內心暗自倒數計時，最終依然只能絕望地看著那堵高牆矗立在原地。

他從來沒有打開過 Tongrak 的心房。

男人只能回到房間，開始收拾起自己的行李，在約了 Meena 出來見面後，刪掉所有的資料，將 Tongrak 給他的手機放在桌上。

打從跟著 Tongrak 上船那天起，他便決定，如果目標無法實現，就會獨自返回家鄉。

即使如此，他內心仍然有遺憾。

「Mut 舅舅說如果 Meena 這次考得好，就會買零食給我。」

男人看著一臉自豪地向母親訴說自己曾經給予承諾的女孩，雖然他們相處時間並不長，但他知道 Tongrak 希望這個孩子能在親情的包圍下成長，只可惜他無法再見到這樣的場景，但他相信不管發生什麼事，Meena 都能克服一切。

「他的意思是不是妳每一科都要考得好？」Khwan 的話讓 Meena 立刻收起笑容。

「就只差幾分而已。」女孩喃喃自語。

「妳是說物理、化學和生物只得了八分的事嗎？」

「但 Meena 其他科目很好。」

「但妳的專業應該是化學，親愛的。」

「也許我只擅長數學。」

「這個項目是妳自己選的，我還問過妳的意見，妳說妳可以。」

「八分有什麼不好？八分很好啊。」

「但滿分是三十分。」

Khwan 笑笑地堵住了女兒的嘴，只見 Meena 吃了一顆糖果，對 Mahasamut 拋來了求救的視線。

男人忍不住笑出聲，即使女孩沒有開口，他卻覺得耳邊像是聽到了她的呼救。

「你再不幫我，我就要生氣了哦。」Meena 一副懊惱的樣子。

「妳和妳舅舅都一樣喜歡八這個數字。」Mahasamut 忍不住調侃。

腦海中又忍不住回想起那位高傲的作家，過去曾發生過的事情，往後只能成為回憶了吧。

「嗯，Rak 一直很喜歡八這個數字，」Khwan 一開始不太相信眼前的男人，在弟弟的堅持下才勉為其難同意他接送女兒。經歷那些事之後，她知道對方是真心為弟弟著想，並且想成為他的依靠。Khwan 看得出來 Mahasamut 正是弟弟一直在尋找的人。

也因為如此，她才想和對方分享鮮為人知的故事。

「Rak 說他不關心愛情，也不想要愛情，但其實他小時候很喜歡童話故事，最喜歡與惡龍搏鬥的王子最終和公主幸福快樂地生活。他會要我們的保姆一遍又一遍講述這樣的故事，長大之後他仍然熱愛言情小說，於是才選擇了這份職業。」

「這和八有什麼關係，媽媽？」Meeena 問。

「因為對妳舅舅來說，八不是數字，而是無限的符號。

「他天性很浪漫，就是個該寫言情小說的人對吧？ Rak 有評分的習慣，當他遇到真心喜歡的東西時會給八分，而不是十分。他小時候曾經進過一間玩具店，指著一堆玩具重複說了八這個數字，惹得妳外婆很頭痛。」

「那麼八是舅舅『最喜歡』、『非常喜歡』，對吧？」

「嗯。」

然而，得知這一切對 Mahasamut 已經沒有任何意義了。

「從一到十，我能得幾分？」

「八分。」

「我給你八分。」

「我喜歡數字八。」

他依然清楚記得那個說喜歡數字八的男人臉上的笑容。

這時他才明白，八所代表的是「無限」。

Mahasamut 再也忍不住湧上的情緒，用雙手摀住了臉，他的不對勁惹來了 Meena 的驚呼。

「Mut 舅舅你怎麼了？你怎麼⋯⋯哭了？」

淚水不斷滴落在他的手掌上，一直努力壓抑著的悲傷此時完全潰防。

Mahasamut 並不生氣，也不恨 Tongrak，相反的，他很感謝 Tongrak 曾經讓自己當過他的數字八。

「Tongrak 快開門！」

Tongrak 被一陣敲門聲驚醒。他不知道自己什麼時候睡著了，睡前的最後一個畫面，是當朝陽照進室內時，門外沒有自己正在等的人。

那個會縱容自己說一切都是開玩笑的人。

那個會回來和他重新擬定協議的人。

那個會留在他身邊哪裡也不去的人。

一切都會恢復成原本的樣子。

然而 Mahasamut 卻沒有出現。

他甚至沒想過自己會在朋友的敲門聲下醒來，目光不經意看向手上一直緊握著的手鏈，自己竟抱著它睡著了。

與此同時，Vi 打開了沒有上鎖的門，筆直地走到他身邊，劈頭就問：

「這是你想要的結果，是嗎？」

Tongrak 面露不解地看她。

「妳什麼意思？突然闖進我家，還胡說些什麼？」

他已經頭痛欲裂了，不想再給自己增加煩惱。

「Mut 走了。」

Tongrak 抬頭，滿臉震驚。

「妳是什麼意思？」

Vi 嘆了口氣，再次強調：

「Mut 已經回去島上了。」

「這一點都不好笑。」Tongrak 內心升起了恐懼，因為好友的表情不像在開玩笑。

「他來向我和 Mook 告別，讓我向你打聲招呼。」

Mahasamut 當時的眼神和聲音此時浮現在 Vi 的腦海裡，對方一臉平靜地對她們說：

「我想 Mook 小姐應該很了解 Tongrak 的習慣，但他比妳想像中更孤單，他喜歡有人待在他身邊，妳只要去多看看他就行了。就算他趕妳走，妳也不要輕易離去……如果他想要喝酒，妳就給他一杯咖啡；如果他不肯吃飯，就把所有咖啡都沒收了，最後他會自己吃飯的……請幫我照顧 Tongrak，幫我好好照顧他。」

Vi 看得出來 Mahasamut 心意已決，他下定決心要離開

這裡。

「你可以去追他的，對吧？難道你想讓這一切都結束嗎？」Vi 抓緊了他的肩膀，希望他能改變主意，但她似乎忘記了一件事……她的朋友那道刻意築起來的堅固心牆。

「我為什麼要這麼做呢？」Tongrak 坐在原地一動也不動，「也許這樣是更好的結局。」

「為什麼，Rak？」

Tongrak 起身走向了垃圾筒，此時 Vi 才注意到他手裡握著的手鏈。

他緊緊地握著，表情像是不想放開所愛的東西般痛苦不堪、備受煎熬，但即便如此，他仍然不想向自己的內心妥協。

「已經這麼痛了，還要讓自己更痛嗎？」

他為自己製造了恐懼。

Tongrak 看著手鏈，如果他保留了這個，是不是會比放手還要痛苦？

當手鏈掉進垃圾筒的那一刻，Vi 看見了好友臉上痛楚的神情。

她不明白，既然捨棄是如此難受，為什麼他還要這麼做？

但 Vi 終究沒有大喊出聲，她唯一能做的就是走過去抱住好友，抱住那個像是空殼般僵硬的身體。

Tongrak 沒有哭出聲也沒有落淚，室內剩下了可怕的寂

靜，而 Vi 內心清楚明白，這是好友此生最心碎的時候。

「嘿 Mut，我聽說你和一個有錢人去了曼谷，怎麼一回事啊？」

「嘿 Mut！」

「Mut 你是什麼時候回來的？」

「Mut！為什麼一消失就是好幾個月？」

打從 Mahasamut 下船那一刻起，他就懶得數自己被問了幾個問題，而這個島上傳播消息的速度飛快，最晚明天每個島民都會知道他回來了的消息。

面對大家的關切，他只是簡短敷衍，沒有回答任何提問，因為他本來就不打算離開這座島。

登船的那一天，他為自己設下了期限。現在，只是時間到了。

「來吧 Mut 哥，你的一號員工會幫你搬東西的。你打算什麼時候開門營業？我今晚就去告訴酒吧裡每一位客人，島上的寶藏已經回來了。」

Mahasamut 知道 Palm 非常希望自己開店營業，所以才會表現如此積極，但自己並不怪他急躁，幸好還有他在等待。

「Palm，有件事想問你。」

「問吧，我洗耳恭聽。」

Palm 的熱情讓 Mahasamut 忍不住回想起自己的遺憾。

那段最後的回憶。

「他這個樣子多久了？」

「從那天起已經第五天了，Vi 姐。」

Tongrak 的辦公室裡迴盪著敲鍵盤的聲音，但不是在打字，而是不斷按下刪除鍵。

Vi 想知道 Mook 該怎麼把現在的情況告訴出版社。

Tongrak 寫不了任何情節。

他只是盲目敲了幾行字，接著再按下刪除鍵。

打從 Mahasamut 離開那天起，她每天都會來照顧 Rak 哥，至今已經五天過去了。一開始她還很高興對方提前完成稿子，但現在這個情況，Mook 甚至沒有把握 Tongrak 是否能順利寫完整本書——因為他的特別篇八字還沒一撇。

她沒有答案，也不敢開口詢問 Tongrak。

等待 Tongrak 的小說問世的人很辛苦，但又有多少人能理解一個寫不出小說的作家有多煎熬？

不是他不想寫，而是他寫不了。

光看他現在這個樣子，Mook 的心就已經夠難受了。

「Rak 哥，你要休息一下嗎？」

但對方除了持續敲打鍵盤外，沒有其他回應。

「Rak⋯⋯」Vi 接著開口。

「妳們能安靜一點嗎？我正在工作。」Tongrak 雙眼盯著螢幕上的字，但沒有一個字進入得了他的大腦。特別篇是主角在正傳之後的生活，只要寫下幸福、快樂的橋段就好。

只是，平常游刃有餘的工作，此時卻無比艱難。

他又再度按下了刪除鍵，眼睛不經意地瞥向放在一旁的垃圾筒。

手鏈仍然躺在那裡。

Tongrak 感覺眼前泛起一層薄霧，鼻頭一酸，馬上又按下了刪除鍵。

最後他選擇用力闔上筆電，眼裡閃起讓人害怕的光芒，內心卻又有著令人心碎的脆弱。

這個動作惹得一旁的 Mook 和 Vi 相視了一眼，Vi 只能輕揉 Mook 的肩膀安慰。

她們幫不了他，Tongrak 必須自己走出來。

他寫不了小說。

他寫不了小說！！

他寫不了小說！！！

這幾個字在 Tongrak 內心震耳欲聾，他不知道該寫什麼，也不知道如何安排情節，甚至無法像以前一樣在腦中構思角色的故事。

因為每當他閉上雙眼，就會浮現那個人痛苦的表情。

男人從這裡消失了，卻留下了很多很多痕跡。

他看到 Mahasamut 在廚房裡做飯的身影。

他看到 Mahasamut 在陽台上替植物澆水。

他看到 Mahasamut 將咖啡送到他的工作室。

他還看到……Mahasamut 就躺在他旁邊。

整個屋子裡到處都是他的身影。

為什麼身影不會消失？如同那個離去的男人一樣。

「我寫不出小說……妳聽不懂嗎？我寫不出小說啊，Sao！」當他看到來電者時，Tongrak 忍不住朝對方大喊，坐在椅子上將臉埋進膝蓋，語氣無比痛苦，「我很難受，寫不出小說了。」

手鏈的主人 Tongrak 寫不出任何文字了。

一想起手鏈，Tongrak 立刻看向垃圾筒，想確定那條手鏈是否還在，卻赫然發現看不到手鏈的影子！

Tongrak 立刻掛斷電話，開始四處翻找，內心的著急讓他加快了速度。

「掉哪去了？明明應該在這裡啊？」

雖然他扔掉了手鏈，卻不是真的想讓手鏈消失。

就像他不想讓 Mahasamut 消失一樣。

　　一想到可能連對方唯一留下來的東西都無法再保有時，Tongrak 立刻走出了工作室，找尋他的秘書。

　　「Mook，妳看到我的手鏈了嗎？」

　　「什麼手鏈？」

　　「我的手鏈。」

　　「哪條手鏈？」

　　「在垃圾筒裡的那條手鏈！」Tongrak 加大了音量。

　　「如果是垃圾筒的話……Mook 早上倒過垃圾了。」

　　Tongrak 內心猛然一驚。

　　「妳倒去哪裡了？」

　　「公寓的垃圾集中處……」Mook 的聲音有些抖，看著對方毫不猶豫地衝出了房門。

　　別丟掉他的垃圾，不要讓他的手鏈消失！

　　Mahasamut，對不起，不要消失！

　　Tongrak 其實很想將最後一句話說出口。

　　請不要就這麼離開他！

　　當 Tongrak 來到垃圾集中地，看到裡頭空無一物時，頓時全身一陣癱軟，倒在了地上。

　　一直以來他都在欺騙自己說沒事，一切不過是恢復到 Mahasamut 來之前的樣子。

　　「TongrakMahasamut。」

　　「你必須愛海洋。」

「從一到十，我能得幾分？」

「如果想要你的愛，需要付多少錢？」

「我的心、我的感情，付出了就不會收回。」

「我愛你。」

「嗚……Mahasamut……對不起……對不起……嗚……請你回來……對不起……」

男子癱坐在臭氣熏天、充滿霉味的垃圾集中場裡，難過地失聲痛哭，在這一刻，他終於知道自己失去了什麼。

他失去了一個全心全意愛他的人。

那個叫 Mahasamut 的男人不僅離開了，還帶走了自己的心。

Tongrak 紅著雙眼走回了公寓，看起來很是狼狽，但他全然不在意別人投來的視線，此時此刻的他根本不知道該怎麼辦才好，彷彿手鏈丟失後，他的大腦就再也無法正常運作。

「你在找這條手鏈嗎？」

Tongrak 看到好友手裡拿著一條棕色的皮革手鏈，瞪大了雙眼，飛快地跑過去抓住了她的手，原本以為停止跳動的心，此時才又開始重新鼓動。

但 Vi 卻抽回了自己的手。

「Vi，還給我，那是我的手鏈。」

「你拿回去了又打算怎麼做？再扔掉？」

Tongrak 明顯一愣，招來了 Vi 的嘆氣，她的好友大概還不知道自己現在有多淒慘。

「把手鏈還給我吧，求妳了。」

「不，除非你告訴我，接下來你打算怎麼做？」

「……」

Tongrak 沒有回答，他的內心依然沒有答案。

「Rak。」

「我不知道，Vi……當我聽到愛這個字時，腦中浮現的是媽媽和姊姊悲慘的結局！妳告訴我，我該怎麼做？」

Vi 嘆了口氣，走向前抱住了好友，揉了揉他的頭。

「Rak，你在寫小說的時候，有沒有擔心過不會有讀者看你的書？」

「不會，我就只是想寫。」Tongrak 小聲地說。

「所以，如果你只是想愛一個人，就不要瞻前顧後。」Vi 後退一步，看著面前的好友，「痛苦、悲傷和難過都是很正常的反應，這無關愛情，只要你活著就有機會體驗到。你為什麼不試著跨越內心那堵該死的牆走出來看看，若是愛上一個人，自己會體驗到悲傷還是幸福？」

她無意冒犯朋友，只是想讓他好好思考。

「如果你不想失去他，那就想辦法留下他吧。」

「那我該怎麼辦？」

Vi 露出一抹笑意，開口說：

「Mahasamut 曾跟著你來到這裡，現在輪到你做出選擇

了。」她將手鏈放回朋友掌中，看見好友的眼神已不再那麼迷惘，似乎有了方向，「不管我的朋友做什麼選擇，我都會支持你。」

「要是我哭著回來，妳要安慰我。」

「好啦，要是你真的出師不利，我會安慰你、為你加油的，聽清楚了沒？混帳！」

Tongrak 握緊了手鏈。

他不想再體會這種悵然若失、沒有靈魂的感覺了，他想要⋯⋯好好地去愛一次。

Episode 32

最後一次

「哦，這是誰啊？看起來很眼熟。」

「如果沒工作就不要來吵我，我現在很缺錢。」

「欸 Mut，你才剛從曼谷回來沒多久就敢對我這麼傲慢啦？」

「阿姨，我這不是傲慢啊。」

Mahasamut 帶著潛水設備往家裡的方向走去，還沒來得及進屋就被 Nee 阿姨擋住了去路。對方走到他面前，目光上下打量著他，包括他身上的刺青，看起來像是迫不及待想知道所有事情經過，但 Mahasamut 並不想讓她有打聽機會，邁開大步打算繞過她離開。

「等等，我們聊聊吧？好幾個月沒見面了。」

「我有事要忙。」

「有什麼好忙的？到時我會幫你。」

Nee 阿姨伸手幫他搬設備，惹得 Mahasamut 輕笑出聲。

「好吧，妳想知道什麼？問吧。」

「那個帥氣的小伙子呢？Palm 說你一直跟著他。」

「他在家裡啊，阿姨。」

「家裡？可是你們不是一起去曼谷了嗎？」

「一起去曼谷就得一起回來嗎？」

「呃，你說得也是。」

Mahasamut 突然加快了腳步將阿姨甩在身後，Nee 阿姨則在他身後大喊：

「等等，等等，我還沒問完呢！」

「結束了，我還有急事。」

「最後一個問題！」

見阿姨不打算放過自己，Mahasamut 只能停步，轉過身看她。

「我以為你不喜歡刺青，為什麼突然想要刺青了？」

男人下意識伸手按住左側的脖子，腦海浮現了一個人的身影。他改變了身上不刺青的念頭，只因為想將關於那個人的回憶刺在身上，雖然情感已經烙印在心頭，但還是想留點肉眼能見的東西。

只要一照鏡子、看到刺青，就像是看到那個人一般。

「我喜歡八這個數字。」

一想到那個人，他忍不住露出一抹笑意，眼底卻滿是悲涼，接著轉身離開，還不忘對著身後的人大喊：

「原來雞婆的人會有這樣的問題啊？」

「你是在罵我雞婆嗎？」

Mahasamut 並不在意身後傳來的抱怨，只是走往小貨車，將東西放上車，接著鑽進了駕駛座。

那一瞬間，他彷彿看到了一個模糊的身影。

就算本人不在這裡，但島上到處都留有屬於他的回憶。

「唉。」

他什麼時候才能忘記呢？

　　雖然內心有了這樣的疑問，但 Mahasamut 清楚明白答案是……永遠不會。

　　在他的小貨車開走後，另一輛小貨車尾隨而至，上頭走下一名男子，他戴著一條手鏈，手鏈上還有兩個銀色吊飾。

　　Tongrak……

　　那個已經意識到自己內心真正想要什麼的人來了。

　　清涼的海水透過潛水衣傳達到肌膚，陽光在海面上波光激灩，鮮紅色的海鞭隨著海浪搖曳，成群結隊的魚群在海中嬉戲，眼前的場景是如此熟悉，這裡是他的家鄉，也是他熱愛的海洋。

　　他如同自己的名字一樣熱愛大海、親近這裡的生物以及相互依賴的生態系統，從小到大不管發生了什麼事，他都會跳入水中、潛入海底，讓思緒隨著海水波動，而這次也不例外。

　　儘管眼前的景色是他的最愛，但腦海裡仍會不由自主地去想起那個人。

　　在浮出水面的串串氣泡中，Mahasamut 看到了過往與 Tongrak 一起度過的美好回憶，那張高傲的漂亮臉孔，朱紅雙唇勾起的微笑，蜜色的眼睛固執卻又甜美，此時周遭水聲的迴音都像是對方在喊著自己名字的聲音。

Mahasamut……當他生氣的時候。

Mahasamut……當他高興的時候。

Mahasamut……當他做惡夢的時候。

Mahasamut……那個自己渴望一再聽到的呼喚。

該死的！

男人摘下了防水護目鏡，望著面前模糊朦朧的海水，因為沒有遮擋物，除了海水的顏色之外他什麼都看不見，即便如此，腦海中的那個身影卻越來越清晰。

他閉上了雙眼，原本打算透過潛水遺忘的記憶，此時更加鮮明深刻。

不知過了多久，Mahasamut 才重新戴上護目鏡，目光掃過面前深愛的大海，清楚知道此時此刻就連潛入海裡也無法再獲得安慰、減輕痛苦。

他踏上了返程，決定交給時間來撫平這份鑽心刺骨的傷痛。

泰國氣候以炎熱聞名全球，這個島也不例外，尤其是在下午的時候。當艷陽落在海洋上，陽光照射所蒸騰出來的熱氣會比正常溫度還要高上幾倍，就算吹著海風，似乎也沒什麼太大的用處。

Tongrak 不知道自己在屋子前等了多久，此時的他全身

汗流浹背，汗滴不停從太陽穴流到下巴，即使熱到快喘不過氣來，他也不打算移動半分。

他不在意到底過了幾個小時，不管發生什麼事，他都不會改變主意。

Tongrak 心裡有很多話想要告訴 Mahasamut。他想為之前的行為道歉，想告訴對方自己是因為害怕、不敢接受真相，才會說出那樣殘酷的話。

Tongrak 想把內心真正的想法告訴那個人……但是，他會聽嗎？

「嘿，帥哥！」

就在這時，前方傳來熟悉的人聲，讓那個受不了高溫而低著臉的 Tongrak 抬起頭來，隨即露出了高興的笑容。

因為他感覺像是看到了……希望。

「我是 Palm，你還記得嗎？」

他記得眼前的男孩是 Mahasamut 的朋友。

這些日子以來，這是他第一次發自內心微笑。

Tongrak 此刻只聽得到自己的喘氣聲，但依然努力奔跑著。他穿著涼鞋跑在沙灘上，好幾次都差點跌倒，腦中只有 Palm 的話。

「Mut 哥最近都會在海灘上閒逛，我問他大白天的去那裡

做什麼，他卻說看星星……有夠扯，白天看什麼星星啊？」

一講到星星，Tongrak 就回想起兩人第一次在沙灘上觀星的回憶。

自己依偎在他的懷抱裡，聽著他醇厚的嗓音，還望著那看著自己的深邃眼眸，雖然講述著不堪回首的家庭往事，Tongrak 卻感到無比的溫暖。

回憶畫面很清楚，然而地點卻很模糊。

Tongrak 憑著記憶來到了海灘。他曾在這裡度過令人難忘的夜晚，此時的他眼中盈滿淚水。

他跑得上氣不接下氣，就算快要無法呼吸了仍然沒停下腳步，直到看見一抹高大的身影獨坐在海邊。

寬闊的背影、被海風吹亂的黑髮、黝黑的皮膚，還有那雙專注看著大海的深邃雙眼。

Mahasamut……

明明已經找到了想找的人，但他卻停在了原地，只能深吸一口氣，遠遠地看著他。

他會原諒我嗎？

Tongrak 雙眼盯著男人的身影，唇瓣顫抖，甚至沒有勇氣呼喊對方的名字。

他還有那個資格嗎？

Mahasamut……

Mahasamut……

Mahasamut……

「Mahasamut……」雖然內心在大喊，但開口的聲音卻相當微弱。

海浪拍打岸邊的聲音消失在藍色水面上，前方的男人突然轉過身。兩人在這一刻視線交纏，時間彷彿靜止在此刻。

Tongrak 深愛的黑色濃髮、喜歡磨蹭自己的高挺鼻子、老愛揶揄自己的嘴巴，以及那雙銳利的眼睛，此時正直勾勾地盯著自己。

Tongrak 為什麼沒有意識到自己已深深愛著這個男人的一切。

「Tongrak！」

男人低沉的嗓音將他的思緒拉了回來，Tongrak 眨了眨眼，定睛看著他。

「你在這裡做什麼？」

就算自己萬般不想失去這個人，剛體會到愛情滋味的 Tongrak 卻笨拙地不知道該如何開口。他應該要放低姿態討好嗎？或是要卑微地請求對方的原諒？他完全手足無措。

Mahasamut 教會他一切，但 Tongrak 還沒有學到什麼是最適合破冰的方法。

蜜色的雙眼因困惑而顫動，甚至不敢直視對方，眼睛不經意一瞥，看到了自己手上的手鏈。

於是 Tongrak 摘下了手鏈，伸到男人面前。

「幫我戴上。」

他不想讓 Mahasamut 率先開口，他想用一切來換取 Mahasamut 為自己戴上手鏈的這一刻，當那個低沉的嗓音告訴自己，他把心付出就不會再收回時，其實 Tongrak 當下真正想回應的是⋯⋯他也愛著他。

「⋯⋯」

然而那個從第一次見面就一直保護自己的溫柔男人，此時眼中布滿了痛苦。

Tongrak 的心涼了半截。

男人朝他走了過來，抓住手鏈，銳利的雙眼看著手鏈，露出一抹悲淒的微笑。

「Mahasamut⋯⋯」

「你是來傷害我的嗎？」

「等等，不是的⋯⋯」

「如果不是，為什麼要提起手鏈的事？」

Tongrak 覺得四周的風頓時靜止了，眼前的男人直勾勾地瞪著他。

「如果你是來玩弄我的感情的話，那你成功了。」

不、不是的⋯⋯

「我告訴過你，我的感情、我的心都不會討回來，但你似乎不想要。這個手鏈有糟到讓你想當面退還給我嗎？」

「我不是這個意思！」

「那你為什麼在這裡？為了讓我知道我的感情毫無價值，然後又來踐踏我一次嗎！」Mahasamut 再也忍不住對

他大吼，這是他以前從來沒有做過的事。他的大手緊握著手鏈，銳利的雙眼緊盯著他，眼神心碎。

兩人四目相交，海風在耳邊呼嘯而過，Mahasamut 露出一抹苦笑。

「如果你不要的話，那就丟掉吧。」

男人的舉動讓 Tongrak 措手不及。

「等等、等等！」

不，不行！不要這麼做！

Mahasamut 一轉身，將手中的東西往海裡奮力一扔，Tongrak 頓時瞪大了眼，雙腿被釘在原地動彈不得，再沒有力氣去追回手鏈，內心清楚知道為時已晚。

「你……為什麼要這麼做？」

「這不是你想要的嗎？」

他做了什麼？Tongrak 內心像是被刀割一般。

「你告訴我，你不需要愛，也不想愛任何人，我們之間只是一份協議，很抱歉讓你接受這樣的感情，但我想告訴你，不管你付我多少錢，我都不會回去了，因為我給你的東西，用錢也買不到。」

Mahasamut 以為他來這裡只是想帶個男人回去嗎？

Tongrak，這是你的報應。

「回去吧，應該會有很多人接受你的提議，我要忙著打理我的老家。」Mahasamut 往後退了一步，拉開了兩人之間的距離。

他要走了⋯⋯Rak⋯⋯你快做點什麼⋯⋯

雖然在心中對自己大喊大叫著，但 Tongrak 卻什麼都做不了。他甚至無法阻止對方離開，也無法拉住他的襯衫，不敢縮小彼此之間的距離，滿心只剩恐懼。

他只能眼睜睜看著男人大步遠離的背影。

原本已離去的男人又突然轉身走回，將手中的東西一把塞進了 Tongrak 的手裡。

那是一股熟悉的觸感，Tongrak 下意識地低頭望去。

「我說過了，我不會收回。如果你不想要的話，就自己丟掉吧。」

是那條手鏈。原本以為被丟掉的手鏈。

「別讓我丟掉自己的心。」

Mahasamut 丟下這句話後便離開了那裡，留下 Tongrak 獨自一人站在原地，指腹輕撫著皮革手鏈，不停確認它還在這裡沒有消失。

Tongrak 將手鏈抱在胸前，淚水止不住紛紛落下。

Mahasamut 的心明明和他是一起的，為什麼他仍然如此的難受？

〔你哭了嗎？〕

「我沒有。」

〔不要騙我，Rak。〕

夜幕低垂，今晚沒有月光，Tongrak 坐在以前住過的豪華度假村房間床上，旁邊放著開了擴音的手機，雙眼盯著掌上的手鏈。

他不記得自己是怎麼回到房間的。

在海邊和 Mahasamut 分手後，他就像個無助的傻瓜站在原地良久。但現在他沒有對 Vi 撒謊，他確實沒有哭，也沒有崩潰，只是覺得有一雙無形的手緊緊地抓著他的心。

「我沒有……但是 Vi……我現在……很難受……太難受了……」

〔你把感受告訴他了嗎？〕

「我說不出口，我不知道該說什麼，我應該要先道歉嗎？我該怎麼辦？我以前從來沒愛過任何人，Mahasamut 說看到我很難過，我還能說什麼？當我看到 Mahasamut 受傷的眼神時內心好痛苦，他覺得我來這裡是要傷害他的，Vi……我什麼都說不出口，我不想讓他恨我。」

電話那端的人嘆了口氣，但他真的走投無路。

〔那你打算就這麼放棄了嗎？〕

「不。」

他立刻就給出了答案。Tongrak 不想放棄，不想回去面對一個人的屋子，他想要 Mahasamut 的陪伴，想要一覺醒來就能看到人，想要和 Mahasamut 一起喝咖啡，不管是在哪裡，只要有 Mahasamut 的陪伴就好。

所以他不能就這樣放棄。

〔那就用你的方法再去試吧。〕

Tongrak 眉頭輕皺，蜜色的雙眼再度亮起希望的光芒。

就算不敢當面說，也能試著用自己的方法扭轉情勢。

　　有很多人說過晚上的大海很可怕，它看起來就像漆黑的深淵，變幻莫測，但對於從小在這個島長大的人來說，夜晚的海給人一股沉靜的感覺。

　　Mahasamut 喜歡晚上的微風，不像白天那樣悶熱，他還喜歡赤腳走在沙灘上，任由海浪拍打自己的腳。

　　直到今天，這一直都是他尋求平靜的方法。

　　從曼谷回來後，Mahasamut 每天晚上都會出來散步，藉由海風拂去傷痛和回憶，但現在卻無法再這麼做了。

　　儘管他的表情依然冷漠，內心卻相當混亂。

　　Tongrak 為什麼會回來這裡？還想從他這裡得到什麼？那個眼神是什麼意思？

　　「別傻了。」Mahasamut 低聲警告自己。

　　是 Tongrak 單方面宣告他們之間只剩金錢和協議，他還能指望什麼？

　　男人來到了兩人下午碰面的地方。

　　「我真像個傻瓜。」

　　難道他希望 Tongrak 還坐在這裡等自己嗎？

　　Mahasamut 露出自我解嘲的笑容，儘管理智讓他不要再期待任何事，但他不能否認自己很想知道對方為什麼會來這裡。

　　終究，他還是那個傻瓜。

Episode 33

TongrakMahasamut

　　Mahasamut 怎麼也沒想過會拿著同樣的房卡站到熟悉的房間前。

　　腦中不由得回想起第一次踏入這個房間時發生的事，嘴角勾起一抹弧度，接著又隱去了笑容，神情猶豫。

　　他打開房門，只看到了滿室的空蕩。

　　「我真是個大傻瓜。」

　　他還抱持什麼希望？是希望 Tongrak 笑著迎接自己嗎？男人忍不住自嘲起來，不管內心多麼難受，還是想見到那個人。

　　Mahasamut 甩開混亂的念頭，走進了房間環顧四周，不一會便找到 Palm 說的東西。

　　「那帥哥說有東西要給你。」

　　他一開始以為是那條才剛歸還的手鏈，沒想到看見的是一張紙條和一支筆。

　　紙條上寫著：*對不起，我不敢當著你的面說，但你能聽聽我想說的話嗎？*

　　若 Mahasamut 以前沒看過這支筆，會認為就只是一支普通的筆，然而書展發生的事令 Mahasamut 印象深刻，他迅速拆下了筆蓋，連接到配對的小型喇叭上。

　　即使再怎麼害怕聽到那支筆裡頭的內容，Mahasamut 仍然壓抑內心的緊張，擔心這是最後一次告別，所以悶不作聲地點開了它。

　　「對不起，Mahasamut。」

　　那是 Tongrak 的聲音，他不懂對方為什麼要跟自己道歉。

　　「我想為我所做的一切道歉，對不起。我是個自私的人，對不起。我是個傷害你的懦夫，對不起。我甚至不敢面對現實，Mahasamut。我終其一生都害怕去愛一個人，我害怕下場會跟我媽媽和姊姊一樣，所以我從未愛過任何人，直到我遇見了你……」

　　這番話令 Mahasamut 僵在原地動彈不得，甚至清楚聽得到 Tongrak 聲音的顫抖。

　　「是你讓我知道幸福原來可以是這個模樣，我想在醒來的時候看到你的臉，想和你夜夜同床共枕，想聽到你問我是否累了？是否餓了？我想和你一起哭、一起笑。我曾經夢想過這一切，但卻是第一次親口告訴你。」

　　男人握緊了雙拳，眼前彷彿看到 Tongrak 淚如雨下的模樣。

　　「對不起……我這麼晚才意識到……Mahasamut，我愛你。」

Mahasamut 抓起了筆轉身離開房間，眼眶已經通紅。

不，現在還不算太晚，還不算太遲！

Tongrak 坐在沙灘上看著平靜的大海，任由微風拂過他的臉頰。

他努力過了。

至今為止寫了幾十本愛情小說，卻第一次體會到向別人傳遞愛意是如此困難的事。

TongrakMahasamut

原本只是拿名字開的玩笑，沒想到居然變成了事實。

只是他們之間不是「必須去愛」，而是他想去愛。前者是命令，後者是自願。

他已經努力過了，唯一能做的只有等待。

「請繼續愛我吧。」

Tongrak 想要這份愛情。

「Tongrak 先生！」

後方傳來熟悉的低沉嗓音，令 Tongrak 震驚地轉過頭，看見那個喘著氣跑到自己面前的男人。

他應該聽完自己的留言了吧？會生自己的氣嗎？會責怪自己嗎？

「！！！」

男人伸手一把緊抱住了 Tongrak。

Tongrak 感受到來自對方身上的熱意，他將自己抱得很緊很緊。

「Mahasamut。」Tongrak 低低地喊著他的名字。

「是的，Tongrak 先生。」

「Mahasamut。」

「是的，我在這裡。」

「Mahasamut……」

「是的。」

「嗚……Mahasamut……」

「我愛你。」

Tongrak 緊緊回抱面前的男人，像是害怕失去他一般。

「對不起……對你說出那樣的話……對不起……傷害了你……對不起……」

Mahasamut 稍微拉開了兩人的距離，但仍然可以感受到彼此的氣息。

「我不想聽你道歉。」

「那我該說什麼？告訴我，我什麼事都願意做，你想要我做什麼，我都會去做。」

「那能告訴我你現在的感受嗎？」

「……」

「現在，當著我的面，告訴我。」男人懇求。

Tongrak 望進 Mahasamut 焦急的雙眼，接著緩緩開口：

「我愛你。」

「嗯。」

「我愛你，Mahasamut。」

「嗯！」

「TongrakMahasamut⋯⋯是真的。」

Mahasamut 輕笑了出聲，Tongrak 此時才注意到對方的脖子上⋯⋯有了一個 ∞ 的刺青。

橫躺的 8，代表著無限大。

「我喜歡數字八。」

「是的，我相信。」

男人面帶笑意，額頭貼著 Tongrak。

「我對你的愛，沒有期限。」

Tongrak 泛淚微笑，雙手環住了他的頸項，在男人唇上落下一吻，回應他的告白。

在海洋及大自然的見證下，兩人洋溢著幸福的笑容，互相傾訴起對彼此的濃情蜜意。

早晨的陽光透過窗簾的細縫照進了房間，Tongrak 緩緩睜開眼睛，第一眼就看到 Mahasamut 銳利的雙眼。

他不知道醒來多久了，一發現自己清醒便立刻露出一

抹笑容。

「早安……」

「早、早安……」

就算只是一句簡單的問候，也足以讓 Tongrak 心跳加速。

他們內心渴望著醒來第一眼就看到對方。

男人的大掌輕撫 Tongrak 的臉頰，感覺他輕輕回蹭自己的掌心。

「睡得好嗎？」

「嗯，我做了一個好夢，你呢？」

「我跟你一樣。」

「你夢見了什麼？」Tongrak 笑笑地問。

「我夢見了你。」Mahasamut 不假思索地說。

Tongrak 臉上的燦爛笑容讓 Mahasamut 忍不住俯身輕吻他的唇。

「該起床了。」

「再給我五分鐘。」男人將他拉進懷裡，撒嬌地說。

抱著他就像在抱枕頭般，Tongrak 承認這是他以前從來沒有經歷過的感覺，雖然只是簡單的對話和互動，都讓他又滿足又放鬆。

他知道自己還有很多東西要學，只要 Mahasamut 肯教，Tongrak 願意扮演優秀的學生。

「我愛你。」

「我也愛你，Tongrak。」

Tongrak 一直害怕去愛、害怕受傷、害怕失去，但 Mahasamut 卻為他上了最寶貴的一課。

也許他們未來還會遇到不少事情，會一起經歷更多快樂與悲傷，但無論如何，他都想與 Mahasamut 一起度過。

Tongrak 輕撫著他的下巴，露出一抹笑意。

「是的，TongrakMahasamut。」

「我愛你。」

兩人相視而笑，一切盡在不言中。

「我跟著你回曼谷時，已給自己設了一個期限，因為不管怎麼樣，我都不會離開這座島。」

　　自從他們和解那一天後，Tongrak 已經在這個島上度過了兩週。現在他身在度假村的休憩區，坐在深色木椅上靠著柔軟的枕頭，回想起戀人的話時，忍不住綻開一抹甜笑。

　　那是他第一個也是唯一一個戀人。

　　Taksakorakarn 家族的人雖以執著、長久、濃烈的愛情聞名，但其實那樣的愛有時是愚蠢的。

　　他母親迷戀他父親，而他姊姊也無法忘掉前男友，即使分開了也拒絕讓其他人成為 Meena 的新父親，身為這個家族的其中一員，他應該也擁有同樣的血統。

　　Tongrak 臉上的笑意逐漸消失，他知道 Mahasamut 喜歡大海、熱愛沙灘和島嶼，決心長時間保護大自然，也清楚明白對方不會離開這裡，不過這不是什麼太大的問題，他仍然可以在淡季返回曼谷。

　　雖然小說情節會讓遠距離戀愛有美好的結局，但現實生活裡似乎行不太通。

　　他有不少朋友到加拿大留學後就和原本的戀人分手了，甚至也有人在那裡和別人結婚。幸運的是，身為作家的 Tongrak 可以在各地工作，只要有網路和電腦，他隨時都能讓 Sao 追蹤到他的進度。

　　於是 Tongrak 決定留在這裡，但 Mahasamut 卻對此大

笑出聲。

「這裡沒有美容醫療診所，你知道吧？」

Tongrak 因為被說中心事而有些彆扭。確實，愛是一回事，但照顧自己又是另一回事。

除此之外，他還是得回曼谷處理工作，不只寫書，還得審閱文件、簽署合約，參與書展及戲劇改編的活動，另外還有處理他母親給予的房產。

後來兩人達成了協議，半年待在島上，半年在曼谷。

然而，還有個但書，Tongrak 留在島上要住在哪裡？

「住在你家。」而作家也如此回覆。

「你真的能住在那裡？」Mahasamut 保持高度懷疑。

「可以。」

「真的嗎？」

儘管 Tongrak 堅持可以住在他家，但 Mahasamut 清楚知道，他的住處位於海上，只有一條水泥路，更重要的是，他家沒有冷氣只有電風扇，像 Tongrak 這種習慣吹冷氣的人真的能忍受嗎？

事實證明，過去的兩個星期裡，他只在戀人家裡睡了兩天。

並不是 Tongrak 不能吃苦，而是他的戀人更有洞察力。

「我還是跟你去度假村一起睡。」

「我可以住在這裡。」

「我的房間很熱，你的房間裡有冷氣，只付房費不入住

很浪費，我不喜歡我的男朋友浪費錢。」

Tongrak 只好選擇妥協。

當 Mahasamut 結束工作就會到度假村來，但這裡畢竟不是兩人的住家，也不是能一起生活的地方。

「該怎麼辦才好呢？」Tongrak 嘆了口氣，這是他必須認真思考的問題。

他似乎一點也沒注意到坐隔壁的亞洲女孩投來的崇拜目光。Tongrak 身上穿著寬鬆的泳褲，敞開的襯衫露出白皙的皮膚，再加上那出色的五官和臉上的沮喪表情，讓人情不自禁心生關切。

「你為什麼裸著上半身？」

就在這個時候，一雙粗糙的手拉緊了 Tongrak 身上的襯衫。他抬頭看向來者，露出一抹笑意，有如小貓看到主人回家的樣子。

「累不累？」

Tongrak 的問句讓 Mahasamut 忍不住俯身給了他一個響吻，同時注意到一旁的女孩露出失望的表情。

「為什麼不把襯衫的鈕子扣上？」

「因為很熱。」

Mahasamut 自己也只穿著海灘褲到處走。

「你會被曬傷的。」

聞言他立刻扣起鈕子，他不在意全身赤裸，但不能接受皮膚被曬傷。

見他像個小孩子一樣聽話，Mahasamut 在他身邊坐了下來，舔去了 Tongrak 太陽穴旁的汗水。

「你幹嘛？」Tongrak 立刻出聲抗議。

「擦汗。」

「這裡的人都這麼做的嗎？」

「是的，你是我男朋友，會習慣的。」

「那我應該跟你一樣是變態吧？」

Mahasamut 揚起眉毛，俯身迎向他的視線。

Tongrak 感覺心臟漏跳了半拍，打從一開始碰面他其實就知道 Mahasamut 是他的菜，現在這個男人距離自己如此之近，近到能感受到那身皮膚傳來的熱量，還有那淡淡的海水氣味。

男人盯著他，像是在等著接下來的補充說明。

Tongrak 有些不自在地別過頭去，心跳加速的他聽到了對方的笑聲。

「你昨天晚上咬我，不就是變態的行為嗎？」

Tongrak 的雙頰發燙，回想起昨天晚上，他確實咬了 Mahasamut，他喜歡聽到對方因為快感而發出的叫聲。

「你也喜歡舔我。」Tongrak 立刻反駁。

「你要是再這樣炫耀下去，今天晚上就不只舔那麼簡單了。」Mahasamut 輕笑出聲。

「你不是明天早上五點要上船嗎？」

「那今天晚上八點就上床吧，我只需要一個小時。」

Mahasamut 發光的雙眼直視著 Tongrak。

「我有自信能讓你精疲力盡。」Tongrak 起身推開他，拍掉身上的沙子，揚起下巴，「我們去吃晚餐吧，餓了。」

「現在才四點半。」

「我正在減肥，Vi 要我四點半後別吃東西。」

Tongrak 在內心向朋友道歉，當對方壓力大時就會無止境地吃東西，然後再為了減肥而節食，但自己並沒有這樣的困擾，因為他從沒有胖過。

「那你現在就不應該吃東西。」Mahasamut 調侃。

「……」

Tongrak 陷入沉默。

男人看著他臉上的陰沉忍不住輕笑，開口給了他另一個選擇。

「我們現在回房，七點左右叫客房服務，你覺得怎麼樣？」

「好吧，今天我可以不減肥。」

「哈哈。」

雖然 Tongrak 想給他一記白眼，但他喜歡聽見對方的笑聲，他喜歡看著這個男人大笑的樣子，喜歡那雙銳利的雙眸裡只有自己。

Mahasamut 過來牽起他的手，兩人並肩走回房間。

這兩個人當然不會乾坐著等七點的客房服務，既然 Mahasamut 要在隔天早上五點出海，那就讓一切在日落前

結束吧。

這是為了讓他能好好地休息。

Mahasamut 一定會認為他們兩人在某方面很有默契，很合得來吧。

「Rak 哥，你覺得這裡怎麼樣？」

「這裡不靠近海邊。」

「海邊已經都被度假村包了。」

「好吧，但我想要靠近海邊的。」

Tongrak 知道自己不是有耐心的人，當他有想要的東西時，第一個就想起 Mook。但對方現在正忙著整理退租的房子，因為上一個房客留下了爛攤子，只能交給 Mook 處理，他也正好趁這個時間裝潢，之後能把房租再調高一些。

然而他在這個島上認識的人實在是太少了，選擇也很有限，其中一個就是……Palm。

Palm 是個老愛跟自己唱反調的人，如同他老闆一樣。

Tongrak 嘆了口氣，現在這個時間點 Mook 是來不了了，他只能自己處理這件事。

「你不是說你很了解這個島嗎？」

「Rak 哥是不是太小看我了？」

「是的。」Tongrak 直截了當回答，不在意對方一臉受

傷，「這是你知道的全部了嗎？那我再去找別人……」

「等等、等等，不要著急嘛！你冷靜點！我們可以再去看看別的地方，也許會有你感興趣的。」Palm 抓住了他的手臂可憐兮兮地說，在接收到 Tongrak 的視線時，他立刻鬆開了手，小聲地抱怨對方太挑剔，「我們去別的地方看看吧。」

Palm 率先走在前面，Tongrak 忍不住搖了搖頭。

他不知道 Palm 是把自己視為老闆的男朋友服務，或是聽自己提過若找到合適的地方就會給他佣金，所以才如此聽話？

極有可能是後者。

Tongrak 花了很多時間在找合適的地點，但都沒有讓他滿意的地方，不是交通不太方便就是不靠海邊。他知道有個人喜歡坐著看海，那也是自己每天都想見到的畫面。

因此關鍵詞是接近大海。

「Rak 哥能停下來買個水嗎？我都快渴死了。」

Tongrak 有時都想問問，到底誰才是那個習慣舒適生活的人？

他嘆了口氣，對 Palm 點點頭，後者露出一抹笑意。

得到 Tongrak 的同意後，Palm 帶著他來到附近一間咖

啡廳，直接點了杯飲料，因為他知道 Tongrak 會付錢。

然而 Tongrak 並沒有跟在他身後，只是看著面前的兩層樓建築。

咖啡廳看起來有些歷史的痕跡，就位於海邊，Tongrak 再看向二樓陽台，陽台面向海邊，應該能在日出時見到朝陽。

腦海中浮現了 Mahasamut 坐在陽台上，給了自己一杯咖啡的畫面。

他閉上了雙眼，感受海風吹過臉龐，鼻間呼吸到海水的清新氣息。

內心下了個決定，找到了理想的地方……就是這裡。

「Mahasamut！Mahasamut！」

「等等，等等，冷靜點，你怎麼了？」

「我只是很興奮。」

「我看得出來。」

在找到心目中的理想地點後，Tongrak 花了將近一個星期和咖啡廳老闆交涉，直到達成協議。

今天，他終於得到了想要的東西，而他第一個想分享的對象，就是另一半。

當 Tongrak 看到 Mahasamut 的身影時，毫不猶豫地朝

他走了過去，對方臉上則帶著饒富興味的神色。

「你手上拿的是什麼？」男人眼神停在他手上的文件。

Tongrak 突然猶豫了，應該在這個時候告訴他嗎？

「Tongrak ？」

對方的呼喚讓 Tongrak 下了決心，將文件交給了他。

「為什麼露出這樣的表情？」Mahasamut 不解地問。

「我只是覺得應該要先告訴你，但我想給你一個驚喜。」現在才想到自己似乎做事太先斬後奏了，他只是做自己想做的事，完全沒有想過要詢問別人的意見。

Mahasamut 接過文件，好奇地看著上頭的內容。

「你生氣了嗎？」見對方沒有任何回應，Tongrak 有些焦急地問。

「……」

「你真的生氣了嗎？」

「……」

「對不起，我只是想要給你一個驚喜，想讓你知道我是真的想和你住在一起。」Mahasamut 越是沉默，Tongrak 就越著急，「我太過分了嗎？」

Mahasamut 手中拿的是土地所有權的文件。

「你為什麼要買下這個？」男人沉默了一會，開口問。

「我想和你在一起。」Tongrak 連忙說。

「你不先問過我？」

「因為我想給你驚喜。」

「還有什麼？」

「沒有了。」

Tongrak 坦白了一切，低頭等待對方的怒氣。

「你就是這樣讓我生氣的嗎？呵呵。」

Tongrak 立刻抬起頭，看到戀人朝自己露出了微笑。

「你不生氣嗎？」作家的語氣還有些不確定。

「為什麼我要生氣？你說你想和我在一起，這有什麼好生氣的？還是你更想看到我生氣的樣子？」

「不！」Tongrak 連忙搖頭。

Mahasamut 握住了他的手。

「但是你要答應我，下次做出重大決定之前，先和我談談，好嗎？」

男人像是安慰孩子般的溫暖嗓音讓 Tongrak 的心被融化，對方平靜的表情讓他鬆了一口氣，連忙點點頭。

Mahasamut 知道該怎麼導正 Tongrak 的習性，或許他了解 Tongrak 比 Tongrak 對自己的了解還要多。

男人將他擁入懷中，輕聲安慰：

「你知道嗎，我的家不是一個地方……而是你。」

他的話讓 Tongrak 露出一抹甜笑，笑容裡包含著對他的愛戀。

從現在開始，他的家也名為 Mahasamut。

　　當 Tongrak 帶著 Mahasamut 去看房子的時候，男人眼中有掩不去的喜悅。

　　他站在陽台迎著海風，和附近的居民討論起自己的船是否能在這裡停泊，思考著自己的潛水設備應該要放在哪裡，如果時間能夠倒流，Tongrak 應該會選擇和 Mahasamut 一起找尋新家。

　　他們可以一起興奮、一起疲倦、一起沮喪、一起快樂。

　　Tongrak 也許還有很多事情要學，但他有信心可以跨越這一切，只要身邊有 Mahasamut 的陪伴，他們就能一起度過種種難關。

　　「來吧，Tongrak。」男人此時站在門前對他微笑。

　　「嗯！」

　　Tongrak 笑著走向他，走向自己內心認定的……家。

Special Episode 1

誰是瘋狂迷戀的那個？

03:59

04:00

嘟嘟嘟……

天色尚未明亮，鬧鈴聲已打破了滿室寂靜，Mahasamut 握住手機按下鬧鐘，使之恢復寧靜，接著看向躺在身邊的人。

幸好沒吵醒他。

他一邊想一邊掀開厚重的被子，就在他準備下床時，有個人拉住了他的手臂。對方貼近了他的後背，讓 Mahasamut 不得不回頭察看。

Tongrak 甚至沒有睜開眼睛。

「我把你吵醒了嗎？」

「……」

「放開我吧，我要去洗澡。」

「你不能留下來嗎？」

沙啞的聲音從後方傳來，Tongrak 蹭了蹭他，收緊摟住他的雙臂，吐露了真心。

Mahasamut 只覺得全身心像是被這個人兒融化一般，他也很不想離開。

大掌輕撫他柔軟的頭髮，繼續聽著他的咕噥。

「如果你要去的話，Rak 也要跟著去。」Tongrak 打出了可愛牌，用「Rak」自稱，而不是平常使用的「我」。

打從他們正式交往後已經過了一年，兩人在島上度

過最後一個旺季，約莫五個月前回到曼谷，現在是時候讓 Mahasamut 回島上處理自己的工作了。

這一年讓 Mahasamut 明白了不少事情，其中一件是傲慢的人兒升級成了狡猾的惡魔。

Tognrak 清楚明白，當他自稱 Rak 時，Mahasamut 就會馬上心軟。

「那你的工作呢？」

聞言，頂著凌亂頭髮的作家抬起頭，露出那毫無睡意的臉和微翹的嘴唇。

Mahasamut 相信應該沒人見過這一面，他向來懂得保持自己的形象。

「就帶到那裡做啊。」

男人大笑出聲。他們上個月討論過這個問題，今年的雨季過得比較快，島上的旅遊也即將迎來旺季，所以 Mahasamut 不得不返回島上開店，然後那個作家便說他也要跟著回去，壓根把工作還沒完成這件事拋諸腦後。

雖然寫作可以在任何地方完成，但 Tongrak 現在的工作不只創作，他的母親 Liu 女士還要兒子加入管理公司的行列，讓 Tongrak 陷入了困境。

過去一個月裡，Tongrak 一直在努力完成曼谷這裡的工作，好跟著 Mahasamut 回到島上，但終究還是沒能來得及。

「只有三個星期。」

「是整整三個星期。」

Mahasamut 俯身親吻他的臉頰，嘴角勾起一抹弧度。

「那我該怎麼辦？」

「⋯⋯」

Tongrak 無法給予答案，眼裡有著不服氣。

男人抱住了他，兩人躺回了床上。

Mahasamut 大概沒提過他有多喜歡 Tongrak 的睡衣。儘管當初他取笑那個衣櫃裡擁有十件相同睡衣的主人是想做睡衣批發，惹得對方強力反駁睡衣全部都是訂做的，但他不否認這款睡衣摸起來很光滑、很舒服、很適合 Tongrak。

「我會盡快完成工作的。」

「好的。」

「我會盡快結束一切。」

「嗯。」

「我很快就會跟著你回家，Mut。」

Tongrak 努力想表達自己的決心，讓 Mahasamut 忍不住將他抱得更緊，用力吻了吻他柔軟的雙唇，內心軟得一塌糊塗。

「快點回到我身邊。」

「嗯。」

Tongrak 點點頭，鬆開了自己的手，然而男人卻沒有放開。

「你不急嗎？要去趕首班渡輪對吧？」Tongrak 的聲音

從他胸前傳了上來。

「給我十分鐘，我只要花五分鐘洗澡穿衣就可以。」

Mahasamut 必須在四點半前離開公寓，開車去渡輪站，而此時已經四點多了。

他喜歡 Tongrak 立刻回抱住自己。

「抬頭看我。」Mahasamut 開口說。

Tongrak 聽話地照做，兩人靠得很近，深情的目光交會，男人吻住了懷中的人，舌頭在彼此的口腔內糾纏著，品嘗著那甜蜜的滋味。

Mahasamut 托住他的後腦杓，感覺 Tongrak 雙手環住了他的頸項，溫暖的甜吻仍然在繼續，房間迴盪著誘人的呻吟，他越是吸吮 Tongrak 的唇瓣，對方就越熱切地回應著他。

「啊……嗯……」粗重的喘息聲在耳邊響起。

老天爺，他一點都不想離開。

就在 Tongrak 開始扭動身子想要更多時，Mahasamut 心不甘情不願地推開了他。

「你真是太殘忍了。」Tongrak 滿臉通紅地指責。

「我？」

「你怎麼可以在這個時候這麼吻我？我們有三星期會見不到面。」

雖然他的語氣在指責，但聽起來就像是寂寞的喵嗚。

「你繼續睡吧。」

「嗯。」

「醒來後再打給我。」

「嗯。」

「我會收拾好房子，然後等著你。」

「嗯。」

Mahasamut 忍住笑聲，接著目光向下移。

「那⋯⋯現在可以放開我的腰了嗎？」

看著 Tongrak 不情願地鬆開了手，Mahasamut 很想告訴他自己也有同樣的念頭，但即使如此還是得狠下心離開，於是奮力起身揉了揉他的頭髮。

「下個月見，Tongrak。」

「嗯。」

Mahasamut 看著作家拉高了棉被，雖然還有些依依不捨，但他想趕緊回去為 Tongrak 的到來做好準備。他已經好幾個月沒回那棟房子了，現在肯定都已布滿灰塵，他不相信 Palm 會好好照顧房子。

總之，他想準備好迎接 Tongrak 的回歸，就必須先行離開。

「這樣可以嗎，Rak 哥？」

「我覺得有點偏離中心位置了，把刺繡移過去一點。」

「我知道了，我會讓他們調整刺繡的。」

「還有……我不喜歡這個顏色，他們有黑色的嗎？」

「但是 Rak 哥，你之前說過想要白色。」

「這不適合 Mut。」

天啊，誰來把 Rak 哥給帶走？

如果 Mook 能尖叫出聲，她一定會這麼大吼。

她看著自家老闆的堅定眼神，內心忍不住嘆了口氣，低頭看著自己這幾天才買回來的布料和刺繡樣品。

Tongrak 說想送他男朋友一份禮物，不想要市面上做好的樣品，而且必須是實用的，更要在一個星期之內完成。

Mook 覺得自己的頭快要炸了，她不知道 Tongrak 到底想送什麼。

「帽子有其他的樣品嗎？」

第一份禮物就是帽子。

「那套衣服上的標籤不是藍的就是綠的嗎？」

第二份禮物是衣服。

Mook 明白他為什麼會想送帽子，也可以理解對方想自己設計帽子上的刺繡，目的是讓這份禮物更有意義。

但 BCD 標籤是什麼？她不會潛水不會游泳，對水上運動一無所知，所以當 Tongrak 對她說需要找個做潛水相關標籤的店家時，她只能一臉茫然地看著對方。

「我不等妳了，把電話給我，我自己跟對方說。」

原本還在思考的 Mook 聽到 Tongrak 開口後用力點點

頭，這代表她的工作量可以減少，說真的，要不是為了應付 Tongrak 的突發奇想，自己在這段時間可以做不少事情。

「你確定嗎？」即使如此，Mook 對於他的決定還是抱持著懷疑。

「確定什麼？」

「因為……Rak 哥從來沒幫誰買過禮物。」

Tongrak 不是不送禮物，但一般來說 Mook 都會處理好，Tongrak 只要下達指示她就能照做，這可能是她第一次見對方如此用心構思禮物內容。

就算是 Meena，他也是帶著她去買想要的東西，而不是送禮物給她驚喜。

Tongrak 明顯一愣，接著露出一抹笑意。

「他不喜歡我花錢大手大腳，也不喜歡太過昂貴的東西，Mut 說過只要我心裡有他，他就很滿足了，所以我想送他一些更有意義的東西。」Tongrak 用指腹輕碰著腕上的手鏈，「Mut 的潛水衣太舊了，繡線都磨損了他還捨不得換，而且頂著大太陽工作也沒想過要戴帽子，壓根不懂得照顧自己。我買給他的西裝從沒看他穿過，老說那不符合他的風格，既然如此，我就買點適合他的東西吧。」

一想起那個每天晚上都要通電話的男人，Tongrak 臉上便洋溢著幸福的笑容。

「他不喜歡名牌是嗎？」

她將所知的訊息發給了他，直到 Tongrak 改變主意讓

她回歸原本的工作，Mook 才轉過身繼續處理公事。

她注意到 Tongrak 臉上的笑容是熱戀中的人才會擁有的笑容。他渴望為心愛的人做些什麼。

他希望 Mut 會喜歡這份禮物，也希望禮物能派上用場，更希望 Mut 可以體會到自己想要照顧他的心情。

自己所有的改變都是因為 Mahasamut，是他教會了自己如何去愛與付出。

三個星期聽起來或許很長，但實際上過得很快，不論是在島上忙著處理一切的 Mahasamut，或者準備要到南方住上半個月的 Tongrak，日子或許沒想像中久，但思念卻隨著一天一天增加，他們每天最期待的只有此時此刻。

〔你真的給 Palm 看了我寫的小說？〕

「不是我拿給他的，是他自己去找來看的。」Mahasamut 笑笑地說，銳利的雙眼饒富興味地看著放在一旁的文件。

今天他請 Palm 來打掃房子，為 Tongrak 的到來做準備，但 Palm 沒做一會兒就開始抱怨，接著便拿起放在一旁的手稿讀了起來。

「我現在讀的是你們的故事嗎？」

一開始 Palm 並沒有意會過來，直到他明白小說的內容

及背景是作者將現實生活寫進書裡，才忍不住驚呼出聲。

　　Mahasamut 原以為他會就此打住，沒想到他就這麼讀到了最後一章，再用難以置信的雙眼看向自己，嘴巴還咕噥著：「這真的是在寫我的 Mut 哥嗎？」

　　他還有很多事情要學。Masamut 忍不住在內心暗忖。

　　「你感到害羞嗎？作家先生？」

　　〔不害羞，只是在想⋯⋯〕

　　「在想我上你的時候？」男人強忍笑意問道，對方的沉默讓他明白了，「喜歡我懲罰你的時候嗎？」

　　〔⋯⋯〕

　　「喜歡我罵你的時候嗎？」

　　〔⋯⋯〕

　　「喜歡我打你屁股的時候嗎？」

　　〔⋯⋯〕

　　「或是喜歡我咬你的時候？」

　　〔Mut⋯⋯〕Tongrak 打斷了 Mahasamut 的話，〔別這麼折磨我。〕

　　男人嘆了口氣，他又何嘗不想抱住那柔軟的身體，親吻他的雙唇，並在白皙的頸項上留下吻痕？

　　〔你知道我很想你，所以才不小心寫出這篇文章。〕

　　「我知道。」Mahasamut 輕聲說。

　　〔我很想你。〕

　　「⋯⋯」

〔你呢？〕

Mahasamut 看著夜裡的深沉大海，聽著海浪溫柔拍打岸邊的聲音。

「我該用什麼樣的形容詞，才能讓你知道我內心的思念比你更強烈？」

與此同時，人在曼谷的 Tongrak 默默地看著城市的夜景，想念著電話那端男人的溫暖，想念著他的擁抱、那挑釁似的笑容、低沉的嗓音及細碎耳語，所有的一切。

由於相思難耐，Tongrak 不經意在最新作品裡寫下了特殊的章節，不知道讀者會不會發現，那個向來溫柔的主角出身是如此平凡，若真的被人發現了，他也不在乎。

〔快點回來吧，我想和你一起迎接早晨。〕

和 Mahasamut 結束通話後，Tongrak 折回辦公室，視線落在包好的禮物上，指尖輕觸著包裝紙，露出一抹笑意。

他想親自包裝禮物，但不擅長這麼做的他被包裝紙折磨了兩個小時。

雖然 Mook 看不下去打算動手幫忙，然而 Tongrak 還是堅持要自己來，就算包裝紙歪七扭八，裝飾用的乾燥花也有些脫落，但應該還是能讓收到禮物的人露出笑容。

Mut 會喜歡嗎？

下次他想訂購一件新的 BCD，但泰國本地沒有販售，只能由國外進口，所以他列好了禮物清單，開始蒐集店家訊息。

而且 BCD 必須是藍色的。

Tongrak 面露笑意，看著 Mook 放在一旁的手稿，拿起來閱讀。

「銳利的臉上寫滿憤怒的情緒，漆黑的雙眼讓他彷彿忘記了怎麼呼吸，大手抓住了他白皙的手臂，將他拉向自己，用著低沉的嗓音開口：脫掉你的褲子。」

腦海中浮現那個嫉妒的身影，不經意緊咬下唇。

誰說 Mahasamut 很冷靜？他也有凶狠、狂野、熱情的一面。

光是閱讀原稿，Tongrak 內心的思緒就已經飄向了南方。

如果他再想下去的話，今天晚上可能就無法入睡了。

他想早點抱著 Mahasamut。

「妳什麼時候才能停止買東西？」

「那你什麼時候才能停止抱怨？」

「當妳停止買東西的時候。」

「當你停止抱怨時我就不買了。」

Mook 忍不住嘆了口氣，無奈地看著那兩個你來我往的

好友。

他們正在前往 Rak 在島上的住家。

前幾天 Vi 跑來找 Tongrak，突然宣布她有短暫的假期。一開始 Tongrak 並不在意，等到回神時，Vi 已經強迫他們三人一起出發前往南方的島嶼。

「不要打擾我和 Mut。」

「我會的，這個做得到。」

然而才離開曼谷四小時，兩人就開始針鋒相對，因為 Vi 喜歡購物，但 Tongrak 只想快點回家，於是便起了爭執。

「妳要是再拖下去就搭不上船了。」

「但我聽 Mook 說你是找私人船，隨時可以登船。」

Mook 似乎能看到 Tongrak 眼神迸出殺人視線。

「比起這個，Mook 我們去買冰淇淋吃吧。」Vi 看起來並不在意。

「不行，Mook，我們要走了。」

「我想吃冰淇淋，Mook 我們現在去買吧。」Vi 像個小女孩般拉著 Mook 的手臂，留下 Tongrak 站在原地想丟掉他的朋友和秘書。

他長嘆了一口氣。

他知道自己反應過度了，落得被好友嘲笑的下場，但他無法控制，心早就已經飛向那美麗的島嶼，飛向海邊的小房子，飛向他們臥室裡所能看到的美麗景色，飛向那個無比想見到的男人身上。

　　Tongrak 耙了耙頭髮，緩解內心的不悅，看向放在一旁的車子。

　　由於 Vi 在兩週後會和 Mook 先返回曼谷，所以她將車直接開來這裡。

　　Tongrak 看了一眼車子，嘴角勾起一抹弧度。

　　Mahasamut 曾經告訴過他，有時候人不見得要對每個人都保有禮數，就像那個曾經拿走他房卡的人一樣。

　　再說了，Vi 也沒資格生氣。

　　當那兩人買了冰淇淋返回時，Tongrak 已經坐在駕駛座，將 Vi 的行李丟到後座，對兩人露出了笑容，無視她們臉上的疑惑。

　　「妳買完了嗎？」Tongrak 開口問。

　　「買完了……我指的是這裡。」

　　「那 Mook 去過化妝室了嗎？」

　　「已經去過了，Rak 哥。」

　　「那我們就走吧。」

　　Tongrak 看著兩人上了車並入座後，發動車子並踩下油門。

　　「Rak！媽的，你開這麼快幹嘛！你急著去哪裡！」

　　「Rak 哥，你時速快要破百了！」（注：好孩子請不要輕易模仿）

　　「這輛車很高檔，可以應付得來。」

　　這是 Mahasamut 帶給他的啟發，他可以厚顏無恥不在

意別人的咒罵。

　　就算她們想要停下來，Tongrak 也不會照做。

　　「你就這麼急著想要去找老公嗎？」

　　「嗯，我急著想要去見他。」

　　「你還真是愛得死心塌地啊，朋友。」

　　Tongrak 可以很有自信地說他喜歡自己的朋友 Vi，但要是她再繼續囉嗦下去，自己很可能會失控讓 Mook 成為寡婦。

　　「那是我的事！」他忍不住咬牙切齒地說，「當我不承認時，妳一直逼我承認，當我承認時妳又囉哩叭嗦。」

　　他們下船時天色已經暗下來。兩個小時前，Mahasamut 便傳訊息說會在碼頭等，但由於行程拖延，導致 Tongrak 比原先預定的時間還要晚到，他讓 Mahasamut 先到附近逛逛不要空等，然而對方卻堅持要留在碼頭。

　　Tongrak 此時的心情可用「心急如焚」四個字形容。

　　「我只是喜歡朋友接受自己的方式，不像某人……對吧，Mook？」

　　「隨便妳怎麼說。」

　　Vi 沒有繼續打擾他，而是和 Mook 調情，Tongrak 不想管好友與秘書在一年後仍然友達以上戀人未滿，雙眼著急

地環顧碼頭，尋找熟悉的身影。

「Tongrak！」

當他看到那位身材高大的男人身著褪色短褲搭著色彩鮮艷的夏威夷衫時，臉上有了掩不去的笑容，在大腦發出命令之前，他已經放下了行李箱，用力地撲向了他。

那熟悉的氣味、溫暖的觸感立刻讓 Tongrak 有了回家的感覺。

「我好想你。」

「你們分開還沒滿一個月，有什麼好想念的？」

Tongrak 不介意朋友的吐槽，他只知道自己的家、內心的歸屬就在這裡。

才過三星期 Mahasamut 又變黑了不少，這表示他很努力工作，曬黑讓他變得更性感逼人。

「我回來了。」

「怎麼這麼慢？」男人用低沉的嗓音開口。

「是 Vi 啦！她每間店都想去逛，我本來打算搭飛機到渡輪站，但她卻告訴我想開車，然後又到處買紀念品。她要在這裡待兩個星期，也不怕東西會壞掉，連 Mook 都站在她那邊，眼裡沒我這個老闆了。」

他的控訴讓在場的人一陣心驚，畢竟她們從來沒見過 Tongrak 這樣。

Tongrak 或許是個自我為中心的人，但他不太愛發牢騷，如今他居然跟另一半抱怨連連。

男人輕撫著他的臉頰，面帶笑意，眼底寫滿寵溺。

「我沒有在為誰說話，但既然我們是旅行，停下來買東西不是很正常的嗎，Rak 哥？」

Tongrak 並不在意 Mook 的解釋，只是看著面前男人的銳利雙眼。

「你不打算說些什麼嗎？」Tongrak 可以一整天看著 Mahasamut，但現在他想聽聽對方的聲音。

「我只是在等你回想起忘記的事情。」男人面露笑意，溫柔地開口。

Tongrak 立刻環住 Mahasamut 的頸項拉下了他，在唇上落下一吻，品嘗久違的甜蜜。

Tongrak 知道這不會僅僅只是個簡單的吻，這個男人總是讓他瘋狂，而 Mahasamut 也沒讓他失望。

他雙手環住了 Tongrak 的腰際，滾燙的舌尖滑進了 Tongrak 的嘴裡，與他的舌頭交纏，耳邊傳來吸吮的聲音，讓 Tongrak 不由得全身顫抖，輕輕揉亂了男人的頭髮。

Mahasamut 深吸了一口氣，接著緩緩拉開兩人的距離。

那雙漆黑的眼眸灼熱，讓 Tongrak 感到一陣燥熱，將頭靠在他的肩上。

Mahasamut 的嘴唇再次觸碰他的太陽穴，聽到 Tongrak 輕聲說：「Rak 回來了。」

Vi 和 Mook 可能沒有注意到，但 Tongrak 明顯感受到 Mahasamut 一震，嘴角勾起一抹弧度。

Mahasamut 最大的死穴就是 Tongrak 用名字自稱，由於殺傷力太過強大，因此他被禁止經常使用。

Tongrak 緊緊抱住了 Mahasamut，聽到他對身後的兩名女孩開口：「歡迎來島上。」

「我還以為你不打算理我們兩個了。」

「那妳首先得跟愛抱怨的孩子一樣可愛啊，Vi。」

Tongra 輕笑出聲，先前對朋友的憤怒此時煙消雲散，在 Mahasamut 的眼裡，他是個可愛又愛抱怨的孩子。

他轉過身看向朋友，完全不在意對方還翻了個白眼。

好吧，他很高興聽到這番話。

當 Mahasamut 彎下腰在他耳邊低語時，他的內心更加雀躍。

「我一直很想見你。」

男人銳利的雙眼絲毫不掩飾赤裸的感情，溫暖的大掌摟住他的腰，讓 Tongrak 露出燦爛的笑容。

兩人究竟是誰更依賴誰，這點目前還不清楚，但 Tongrak 清楚明白，只有跟這個男人在一起時，他才能感受到幸福。

Special Episode 2

生氣的 Mahasamut

　　Tongrak 在島上的日常生活是與 Mahasamut 一起醒來開始。不管他的另一半在什麼時候醒來,他都會試著爬起床,然後開始準備飯菜。在送對方出門工作後,再決定要起床或者睡回籠覺,但十一點左右他都會坐到電腦前,有時候是工作,有時候是滑社群,有時候回答讀者的問題,在那之後會找點東西填飽肚子,接著坐下來工作到三、四點左右,取決於 Mahasamut 回來的時間。

　　「Rak 哥! Rak 哥!我在找你!」

　　這是他的日常,所以當 Palm 在下午兩點左右氣喘吁吁跑來時,他抬起頭並直接駁回:

　　「不。」

　　「嘿咦,Rak 哥,我還沒說話呢。」

　　Palm 說要找自己時,Tongrak 便開始感到頭痛。他每天都坐在這裡,哪裡還需要找?

　　Tongrak 看著這個嘟起嘴的年輕人,不一會兒他就趴在桌上做出一副乞憐的小狗臉看著自己,雖然很可愛,但是該拒絕的他也不會心軟。

　　「不就是不。」

　　Tongrak 收回視線,將目光轉向面前的螢幕。

　　「哦 Rak 哥,我是你弟弟。」

　　「哪個弟弟?」

　　「你的……該說是老公還是老婆……的弟弟。」

　　「你說什麼?」

「沒有。」

Tongrak 又再看了他一眼，對方先是露出一抹燦笑，接著又裝出可憐的樣子。

「Rak 哥，幫幫我吧，就這次了，求你了。」

其實 Tongrak 原本可以毫不猶豫地拒絕對方，但他是 Mahasamut 的弟弟，自己遇到麻煩時是他曾經陪著自己，Mahasamut 又很喜歡這個弟弟……基於以上種種原因，他只能摘下眼鏡，嘆了口氣。

「什麼事？」

Palm 臉上露出了笑容。

「今天晚上可以去酒吧喝一杯嗎？」

「嗯？」Tongrak 眉頭輕皺。

自從和 Mahasamut 確定關係後，Tongrak 就不怎麼擁有夜生活了。之前會泡在酒吧是想逃避寂寞，但現在他更想跟另一半相處，Tongrak 的身體也因此變得更健康。

「你還在酒吧工作嗎？念書呢？」他不解地反問。

Palm 臉上的笑容立刻消失。

Mahasamut 一年前就和他提過要送 Palm 去上大學，Tongrak 同意了，甚至願意出錢讓 Palm 去，但 Mahasamut 堅持要自己出，還說 Palm 在他最困苦的時候陪在他身邊、一直幫他的忙，因此他希望 Palm 能擁有更好的前途。

Tongrak 看得出來 Mahasamut 很在意這個弟弟並且視其為家人，他也選擇愛烏及屋。

他們不希望 Palm 繼續在酒吧工作，而 Palm 也提過他會專心準備考試，不會讓兩人失望。

「我……不想浪費 Mut 哥的錢，想多掙一點錢去念書，這樣你們就不需要在我身上花太多錢了。」兩人的幫助讓他有些愧疚，「我每天晚上都有在念書，Rak 哥，我是說真的，你可以看看我的考試成績。」

「那你需要什麼樣的協助？」

要是 Mook 知道自己這麼容易妥協，應該會很震驚。

「你只要幫我坐在吧台就可以了。」Palm 笑笑地回。

「就這樣？」

「是的。」

「這麼簡單？」

「我和一個客人打賭要讓今天酒吧裡滿滿都是女孩子，如果 Rak 哥來的話，應該能吸引不少人吧？」

Tongrak 掃了他一記高壓的眼神，看來 Palm 在島上散布謠言就是為了贏得賭注，但會聚集過來的人應該都是好奇他和 Mahasamut 的關係，而不是以他為目標。

Mahasamut 是這個島上的名人，Tongrak 很清楚有多少人對他感興趣。

也行，讓大家知道他們是什麼關係也好。

「那就去坐坐吧。」

「是的 Rak 哥，坐在那裡就好。」Palm 急切地說，看不出 Tongrak 內心真實的想法。

今天晚上一定會很有趣……Tongrak 露出一抹狡猾的笑意。

「Tongrak！」

有趣個屁！

Tongrak 此時眼底有著厭惡，內心燃起了怒火。

一個小時前，他還玩得很開心，因為才踏進酒吧就立刻吸引了眾人的注意。Palm 的謠言散布得相當成功，四面八方都有好奇的眼光投來。

他的出現讓 Palm 贏得了賭注，而且他還傳了訊息給 Mahasamut，如果有人想見到兩人同框，今天晚上應該能夠如願以償。

同時也能向大家宣布島上的寶藏已經名草有主，而他的另一半就是 Tongrak。

Tongrak 回答了當地人幾個問題，拒絕一些向他示好的人，直到他遇到了一個外國人。

一開始他只是想幫助對菜單感到困惑的加拿大人，後來才知道原來他們上同一間大學，住在同一個城市，對方表示剛和女友分手，來到泰國療傷。

只是聊著聊著，對方突然朝自己逼近，一手放在他的大腿上，Tongrak 雖然迅速抽身，但對方卻立刻抓住了自己

的手，這次他難以掙脫。

「Why not？」

Tongrak 不打算再客氣，正當他想再度使勁掙脫時，不遠處傳來了一道叫喚。

「Tongrak！」

伴隨著被猛然扯開的手，自己被來者拉進了懷中。

鼻間充斥著熟悉的氣味，他甚至不用看就知道那人是誰。

「Mut！」Tongrak 抬頭看，男人臉上明顯充滿怒氣。

Mahasamut 沒有看他，只用凶狠的眼神瞪著外國人。

他相信身材高大的 Mahasamut 不會屈於劣勢，當他意會到對方勃發的怒意時，卻忍不住顫抖起來。

男人用力將 Tongrak 拉出了酒吧，Tongrak 大氣都不敢吭一聲，只是下意識看向站在吧台後的 Palm。雖然那孩子沒說什麼，但由他臉上的表情應該不難猜出他的想法。

糟糕了。

Tongrak 被用力推到牆上時明顯一愣，雙眼浮現恐懼，全身顫抖地看著眼前抓狂的男人。

Mahasamut 非常生氣……非常的生氣。

「我什麼都沒做，相信我。」

「那你為什麼讓他牽你的手？！」

當那道低沉的嗓音對著他大吼時，Tongrak 忍不住瑟縮了一下。

他很難得看到 Mahasamut 如此憤怒，他向來冷靜且會溫柔傾聽，總是比自己還要成熟，不管 Tongrak 的表現有多糟糕，他就是能讓自己冷靜下來。

Tongrak 上次看到對方如此生氣是他父親的事，但現在的情況明顯不同。

漆黑嚴厲的眼神嚇得他幾乎要停止呼吸，那隻大手使勁抓住自己的手臂。

「我沒有……」Tongrak 試著抓住他的手解釋，「他只是突然抓住我的手，相信我，Palm 讓我在吧台坐一會，我只是照做而已，就這樣……真的！不要生氣……好嗎？」

Mahasamut 拉起他的手，口氣十分不悅。

「我看到他握住你的手了。」

「我掙脫了。」當他舉起另一隻手想碰 Mahasamut 的臉時，卻被對方避開了。

「他還抓了你哪裡？」

意識到對方那灼熱逼人的視線，Tongrak 只覺得自己快要被燒傷。

「我的腰……」他輕聲說，「啊！」

Mahasamut 的手扯開了他的襯衫，滾燙的肌膚緊緊地壓在自己的腰際，Tongrak 不敢吭聲，只能顫抖地看著眼前

盛怒的男人。

心跳此時飆速，血液湧上他的臉，Tongrak 白皙的肌膚染上紅暈。

「還摸了哪裡？」Mahasamut 在他唇邊低低地問。

Tongrak 短暫轉移了視線，不知道自己該不該老實坦白。

其實他知道接下來可能會發生什麼事，知道自己會受到懲罰，知道自己不該透露太多不必要的情節，但嘴巴卻不由自主地老實回道：

「腿⋯⋯」

「把褲子脫掉！」

Tongrak 瞪大了眼，一臉驚訝地看著 Mahasamut，此時他們還站在陽台上。

「什麼？」

「我要你脫掉褲子！」Mahasamut 再度重複一遍自己的命令。

Tongrak 只能聽話地解開皮帶，看著面前不吭聲只是盯著自己動作的男人，這份沉默讓氣氛變得更加緊繃。他因為恐慌而汗流浹背，雖然不喜歡對方不發一語，內心又偷偷享受被這麼火熱注視著。

當 Tongrak 脫掉褲子後，Mahasamut 的手立刻抓住他的大腿，銳利的臉有一半被入夜的黑暗遮去，看起來就像個準備奪取生命的死神，卻又那麼英俊帥氣，令人屏息。

男人的大掌滑進他大腿內側，讓 Tongrak 忍不住一陣

抽搐。

他知道應該要讓對方冷靜下來，但身體卻誠實地做出了反應，他的下腹在燃燒，內褲因為慾望而濕潤，Mahasamut 碰觸過的地方都留下了灼燒的痕跡。

「還有哪裡？」男人的問句低沉又可怕。

「……沒有了……」Tongrak 連聲音都在顫抖。

「你知道我不會輕易原諒你吧……」

「那我該怎麼做，你才會消氣……」

懲罰他吧……懲罰到讓他再也不敢這麼做。

Tongrak 抬起頭，眼底寫滿懇求，男人的臉湊近了他。

「你好好想辦法解決。」

Mahasamut 扣住了他的下巴，強迫他正視自己的雙眼，Tongrak 張開嘴用力吻住了他，儘管嘴裡嚐到近乎血的味道，但他卻因興奮而顫抖，下腹靠近了對方的下體，緊緊貼在一起，索吻也益發激烈。

Mahasamut 喜歡親他，但這次他尖銳的牙齒咬住了 Tongrak 的下唇，無視他的呻吟，將舌頭伸進了他的嘴裡，兩人之間已經沒有距離。

男人的大掌撫向他的大腿，將手指伸向後方，卻沒有再更進一步。

「Mut……啊……Mut！」Tongrak 試圖讓自己的敏感部位更靠近 Mahasamut 的手指。

兩人的舌頭激烈糾纏在一起，直到口水從彼此的口中

流了出來，Mahasamut 的密吻從他的臉頰順沿至頸項，滾燙的舌尖輕撫他的下巴，接著拂過喉結，Tongrak 頭向後仰，手轉向男人的下腹。

那又硬又熱的分身，讓他想放進嘴裡。

「把內褲脫掉。」

Tongrak 毫不遲疑地脫掉了內褲，露出早就昂挺的分身。

Mahasamut 向後退了一步，盯著 Tongrak 的分身，讓他有些不安。

「脫掉我的衣服。」

現在不管 Mahasamut 下達什麼命令他都會執行，他顫抖的雙手脫掉了 Mahasamut 的襯衫，接著脫掉了對方的背心，雙眼看著男人赤裸的身體，心漏跳了一拍。

「啊！」

當 Mahasamut 的手指碰觸到 Tongrak 分身的頂端時，他差點就要高潮。

「你就這麼想要嗎？光是看我脫衣服就這麼著急，不會也是用這樣的眼神看別人吧？」

「不……」

「我沒讓你開口！」

Tongrak 立刻搗住嘴巴，目睹對方逗弄自己的昂挺，他想增加摩擦感，想讓那個粗糙的手掌更用力撫摸自己。

「看來你還得忍耐一下，Tongrak 先生。」

就在這個時候，男人將他拉進了臥室推倒在床上，張

開 Tongrak 的雙腿，用居高臨下的眼神看著他，接著露出一抹邪惡的笑。

「繼續，讓我看看。」

「Mut……」

「噓！」Mahasamut 舉起手抵住他的嘴唇，接著將手指伸入他的嘴裡。

Tongrak 用舌頭輕舔了他的手指，自己的手則握住了下方的分身，張開了雙腿，讓 Mahasamut 看得更仔細。

如果他想看，自己會照做。

「唔……」

儘管 Mahasamut 只是在旁觀看，但 Tongrak 還是十分興奮，逸出了呻吟同時吸吮著對方的手指，將自己的雙腿抬得更高。

這是他第一次在別人面前自慰。他享受著男人盯著自己的眼神，喜歡那個無情插入自己嘴裡的修長手指，高漲的慾望讓他因為興奮而顫抖。

「啊……啊！」

就在這個時候，Tongrak 瞪大了雙眼，感覺到冰冷的液體被倒進後方的甬道。

Mahasamut 手指刺入了昨天性愛後依然柔軟的後穴，讓 Tongrak 忍不住弓起身子。

「我還沒讓你停下來，繼續。」

男人抽回自己的手，舉高了 Tongrak 的雙腿，讓自己

的手指更往他的深處探進。

「啊……Mut、Mut、那裡……就是那裡……」

「我叫你不要停下來！」

Mahasamut 用力拍了他的臀部，Tongrak 忍不住落下淚來，原本停下來的手再度撫向自己的分身，臀部不受控制地扭動。當 Mahasamut 不停用手指刺激他的敏感部位時，他忍不住語無倫次呻吟著：

「不要停下來，求你了……給我一次……」Tongrak 加速了手的動作並乞求著，「不要用手指……給我……現在……」

「告訴我你想要什麼？」

Mahasamut 居高臨下地盯著他，大掌扣住他的下巴，眼神凶狠，逼著 Tongrak 顫抖地回道：

「上我……Mut……上我……我想要你的……」

Tongrak 被用力翻過了身，趴在床上抬起臀部張開雙腿，後方的男人扳開他的雙臀，接著猛然將分身插進了他的體內。

Tongrak 緊抓床單，淚水滑了下來，體內的灼熱和碩大幾乎讓他快要窒息，但與此同時他卻達到了高潮。

「啊啊！！」

「是誰讓你射的？」

「對不起……對不起……啊……」

Tongrak 伸手抓住了 Mahasamut 的脖子，他知道生氣的 Mahasamut 比平常還要粗暴，不但不讓他休息，還狠狠

撞擊著他，讓他瀕臨失神的邊緣。

「Rak⋯⋯對不起⋯⋯嗚⋯⋯」

男人轉過 Tongrak 的臉，用力吻住了他，一隻手將他拉起來緊靠著自己，讓埋在他體內的分身頂向更深處的位置，另一隻手則擠壓挑逗著 Tongrak 胸前的突起，直到 Tongrak 因寒冷而顫抖。

「痛⋯⋯」

「喜歡嗎？」

「再用力一點⋯⋯啊⋯⋯Mut⋯⋯啊⋯⋯」

Mahasamut 讓他坐在自己腿上，雙手擠壓著他的臀部，讓自己的分身完全埋進 Tongrak 的體內。

「啊！！ Mut ！！太大力了！痛！啊！！」

男人無情地撞向他，深入到 Tongrak 快要無法承受的地步，他忍不住抓住後方的男人，氣喘連連全身顫抖。

室內不停傳來肉體拍打的聲音，伴隨著床的搖晃，還有 Tongrak 因極致快感的啜泣和呻吟。

「啊⋯⋯啊！！」

沒過多久 Tongrak 就因高潮釋放出白濁的液體，但 Mahasamut 緊扣住他的腰，沒有停下抽插的動作。

「等、等一下！ Mut⋯⋯讓我休息一下⋯⋯」

「我什麼時候說過你可以休息？」

男人將他翻了過來呈現仰躺姿勢，當 Tongrak 看清男人銳利的雙眼時，明顯一愣。

他應該感到害怕，但為什麼他感到刺激？

雖然 Mahasamut 看起來凶狠且野蠻，但 Tongrak 卻無法將視線從他身上移開，眼前的男人又危險又誘人，讓他無法抗拒。

Mahasamut 將臉埋進了 Tongrak 的雙臀間，不等他回應便伸出舌頭。

「Mut……啊……好棒……再深入一點……再用力舔……我喜歡……啊……」

他緊緊抓住對方的黑髮，準備接受這人給他的任何懲罰。

Tongak 知道自己不該有這樣的想法，但他喜歡吃醋時的 Mahasamut。

他喜歡這個男人的一切。

「我有個問題想問，Rak 哥。」

「說吧……」

「你們互相生過氣嗎？」

當四個人共進晚餐時，Mook 忍不住開口問。

Tongrak 下意識地看了 Mahasamut 一眼，知道對方此時應該和自己想到了同一件事。

「Tongrak 經常會生我的氣。」Mahasamut 回答，手卻

抓住了 Tongrak 的大腿。

「嗯，他也很喜歡欺負我。」Tongrak 嘴上回答了 Mook 的問題，但也同時張開了雙腿，讓 Mahasamut 隨心所欲上下其手。

他開始想念 Mahasamut 吃醋的時候。

「Mahasamut 有生過你的氣嗎？我覺得他很縱容你，就像被你操控一樣。」

男人銳利的雙眼看向 Tongrak。

「我以前會生他的氣。」他邊回話邊用力捏了 Tongrak 的大腿。Tongrak 的手覆上了他不安分的大掌，拉高到自己大腿內側。

Mahasamut 轉身在他的太陽穴落下一吻。

Mook 大概想像不到 Mahasamut 生氣時的樣子，於是 Tongrak 便補充：

「我喜歡他生氣的樣子。」

他無視自家秘書傳來的困惑眼神，只是對上了身旁男人的雙眼，想著或許能讓對方再嫉妒一次。

如果 Mahasamut 知道他有這樣的想法，應該會懲罰到讓他下不了床吧，但他喜歡那樣的結果。

他仍然持續向 Mahasamut 付款，但用的是名為 Tongrak 的貨幣。

（全書完）

作者後記

除了在特殊場合寫的特別故事外,《海洋之戀》（TongrakMahasamut）是一個嶄新的故事。在歷經了不少劇本及電視劇的創作後,Mame 終於又可以回來做自己喜歡做的事,所以請容許我再次自我介紹。

你可以稱我為 Mame 或 May,我從 2009 年就開始寫小說,在這個業界裡已經寫作了十五年,對我來說,這十五年相當寶貴,讓我學到了不少東西。

我仍然喜歡寫作,《海洋之戀》給了我機會,如果沒有這本書,May 可能無法做自己真正喜歡的事情。這部小說在結束前就已被宣布會改編成戲劇,所以我能暫時離開辦公室,並且逃離總是在 deadline 才結束的製作人工作困境。

我真的很感謝大家,所以請各位繼續支持小說與戲劇,也感謝泰國 Deep Publishing 出版社給予我機會,更感謝每位拿起這本小說的人。

再次致上衷心的感謝,來自一個愛貓、並且仍然全心全意創作的女人。

國家圖書館出版品預行編目資料

海洋之戀/Mame作；甯芙譯. -- 初版. -- 臺北市：春光出
版，城邦文化事業股份有限公司出版：英屬蓋曼群島
商家庭傳媒股份有限公司城邦分公司發行, 2024.10
面； 公分. --(南風系)
譯自：Love Sea ต้องรักมหาสมุทร
ISBN 978-626-7282-93-9 (下冊：平裝)

868.257   113012053

南風系016

海洋之戀・下冊

作　　　者／Mame
譯　　　者／甯芙
企劃選書人／王雪莉
責任編輯／王雪莉、張婉玲

版權行政暨數位業務專員／陳玉鈴
資深版權專員／許儀盈
行銷企劃主任／陳姿億
業務協理／范光杰
總編輯／王雪莉
發行人／何飛鵬
法律顧問／元禾法律事務所　王子文律師
出　　　版／春光出版
　　　　　　臺北市 115 南港區昆陽街 16 號 4 樓
　　　　　　電話：（02）2500-7008　傳真：（02）2502-7676
　　　　　　部落格：http://stareast.pixnet.net/blog E-mail：stareast_service@cite.com.tw
發　　　行／英屬蓋曼群島商家庭傳媒股份有限公司城邦分公司
　　　　　　臺北市115 南港區昆陽街16 號 8 樓
　　　　　　書虫客服服務專線：（02）2500-7718／（02）2500-7719
　　　　　　24小時傳真服務：（02）2500-1990／（02）2500-1991
　　　　　　服務時間：週一至週五上午9:30～12:00，下午13:30～17:00
　　　　　　郵撥帳號：19863813　戶名：書虫股份有限公司
　　　　　　讀者服務信箱E-mail: service@readingclub.com.tw
　　　　　　歡迎光臨城邦讀書花園 網址：www.cite.com.tw
香港發行所／城邦（香港）出版集團有限公司
　　　　　　香港九龍九龍城土瓜灣道86號順聯工業大廈6樓A室
　　　　　　電話：（852）2508-6231　傳真：（852）2578-9337
　　　　　　E-mail：hkcite@biznetvigator.com
馬新發行所／城邦（馬新）出版集團　Cite（M）Sdn. Bhd
　　　　　　41, Jalan Radin Anum, Bandar Baru Sri Petaling,
　　　　　　57000 Kuala Lumpur, Malaysia.
　　　　　　Tel:（603）90578822 Fax:（603）90576622 E-mail:cite@cite.com.my

封面設計／蔡佩紋
內頁排版／芯澤有限公司
印　　　刷／高典印刷有限公司

■ 2024年10月3日初版一刷　　　　　　　　　　Printed in Taiwan

售價／399元

城邦讀書花園
www.cite.com.tw

Published originally under the title of 《ต้องรักมหาสมุทร Love Sea》
Author©MAME
Traditional Chinese (Complex Chinese) Edition rights under license granted by
TOSAPORNBILLIONGROUP Co., Ltd
Traditional Chinese (Complex Chinese) Edition copyright © 2024 Star East Press, a Division of Cité
Publishing Ltd.
Arranged through JS Agency Co., Ltd, Taiwan
All rights reserved.

情不知所起，一往而深。
尋著心之所向，乘著拂曉清風，
流往那剎那即永恆之境。

情不知所起，一往而深。
尋著心之所向，乘著拂曉清風，
流往那剎那即永恆之境。